新 潮 文 庫

私の好きな世界の街

兼高かおる著

新 潮 社 版

6426

目次

地図　瀧本久美子
写真　教育文化制作

私の好きな世界の街

SAN FRANCISCO
サンフランシスコ　アメリカ

まるで日本の離れ座敷のように親しい街になっているサンフランシスコ。中心地を歩けば日本人だらけ、日本語だらけ。若者など生まれ育った自分の街のように闊歩《かっぽ》していてちょっとまぶしいような気さえしてしまいます。こんな街の故《ゆえ》か判明している歴史は二三〇年前辺りからで、それはヨーロッパからスペイン人が船でやって来た時からです。

湾内の最大の島の入り江に錨《いかり》をおろし、この島をロス・アンヘレス、入り江を時のスペイン人の司令官の名、アヤラと名づけました。この島は今は英語でエンジェル島とよばれ、公園島になっているので、サンフランシスコのピアから船で行けますが、かつて一九世紀にはサンフランシスコに上陸するまえにこの島で検疫《けんえき》をうけるためアジアからの移民の一時収容に使われました。ニューヨークには、ヨーロッパからの移民が検疫をうけるための一時収容所だったエリス島があります。スペインの統治していたメキシコが独立した一八二一年、サンフランシスコもメキシコ領となりましたが、アメリカ合衆国が東部で独立して一〇〇年たらずの一八四六年、アメリカ軍がきて占領し、サンフランシスコと命名したそうです。そして一八四九年になると、近くに金鉱があったので西部からどっと人が押し寄せ、いわゆるゴールド・ラッシュとなり、サンフランシスコはたちまち大きな町となったのです。サンフランシスコの誇るプロフットボールチーム、フォーティーナイナーズはこの四九年から名づけたものです。

それに続いて大陸横断鉄道建設で多数の労働者が必要になり、中国人移民がやってきました。これがアメリカ最大の中華街を生んだ源なのです。余談ですが、いえ、重要なインフォメイションですが、サンフランシスコで中華料理を食べるなら、中華風エキゾティック・ムードに飾りたてていないダウンタウンの新しいビルにできたレストランが、断然美味《おい》しくて安いのです。ちなみにランチでしたが、九人で直径一・四メートルくらいの丸テーブルに皿が重なるほどに次々と運ばれた料理を並べ、飲み物もがんがんと飲んで何と二〇〇ドル！　ほんの数年前の事です。これだから私は日本のレストランで支払うたびにこの値を思い出し、やるせない思いにかられるのです。

成田からひとっ飛びでサンフランシスコ。冬期は特に追い風なので九時間を切りますが、サンフランシスコから成田に戻る場合でも一〇時間前後の距離です。まぁ、正確に言うなんのことはない、太平洋を隔てたお向かい同士なのですもの。ら福島県辺りが対岸です。

テレビ取材用機材と共の旅とお別れしてからは、私の荷物は軽いスーツケースが一個という女の一人旅です。

空港の税関も免税側をすいすいと通り抜け、外に出てドア・トゥ・ドアという乗りあいタクシーの乗り場に直行します。タクシーより安いし、何人かの客が乗っていて安心感もあります。

私が使ったのは大きなリムジンで、内部にはソファが三カ所、空《から》ながらデキャンターとグラスが備えつけてあり、テレビもついているちょっとゴージャス・ムードなリムジンでした。

いずれにしても、運賃は驚くなかれ二〇キロ先の市内のどこでもタクシーの約三分の一の一二、三ドルです。しかも荷物は二個まで無料で、ドライヴァーが持ち運びしてくれます。相乗りですが、運がよければ最初に降ろしてもらえるし、最後になっても結構観光気分で、めったに足を運ばないところを車上見物できるから悪くありません。

今までの経験では、同乗した人たちは皆礼儀正しく、乗るときも降りるときも挨拶《あいさつ》をしていくので心がなごみます。こういう人たちに会うとよきアメリカ時代を思い出すのです。都会ずれしたふてぶてしい態度に出会いすぎるせいでしょうか。

さて、今回、私の行き先はノブ・ヒル、丘の上の友人宅です。ノブ・ヒルはかつては金持ち名士の邸宅が建ち並ぶ住宅地で、そこに住めない庶民はスノブ・ヒルなどと呼んでいました。スノブとは「お高くとまっている人」の意味で、住めない側の多少やっかみの呼称です。

大邸宅にはメイドが絶対に必要ですが、最近のメイドは異文化の人たちが多いうえ、英語もまだ不十分なので、万事電気仕掛けの今風住まいでは、説明したりこわされたりで主人のほうがノイローゼになってしまうとか。現在はアパート住まいが多くなり、私の友人宅もアパートです。治安に最も気を遣うのが今のアメリカの都会なので、中に入るのにもガードマンに話をしてからオートマティックの鉄のドアを開けてもらいます。

数年前、この友人にくっついて売りアパートを何軒か見て回ったのが、ほとんどこの界隈《かいわい》でした。

大方のアパートは第二次大戦以前の建物で、どっしりとしていて部屋数も多くそれぞれが広いのです。あるアパートは階下に自家用運転手の部屋もありました。日本はバブルのピークがすぎた頃でしたが、不動産の値はまだバカげたものでした。でもここではこんな「豪邸」が五、六千万円くらいで買え、少し小さめの「豪邸」は使用人用のエレヴェイターもあるというのに駐車場がないというので四千万円なのです。

友人宅は、入ると七畳ほどの玄関ホール、その左手に一二畳ほどのキッチン、その隣にブレックファースト・ヌック。広い食堂、広い居間にベッドルームは三室あり、それぞれお風呂《ふろ》、トイレつきです。勿論《もちろん》、お客様用のトイレは別にあります。総面積は約七八坪。収納スペースもたっぷりあり、どの部屋も外の光の入る窓があるのです。何よりいいのは、床に段差がなくて、曲がり角も部屋の間口も広いので車椅子《くるまいす》でどこにでもいけることでした。毎月、管理費に六万円ほど払いますが、水道代も暖房費も含まれています。サンフランシスコでは冷房は不必要です。キッチンの後ろには使用人用エレヴェイターがあり、管理人が毎日、ゴミをもっていってくれます。あぁ、何と日本と違うのでしょうか。建物がどっしりしているのは、一九〇六年のサンフランシスコの大地震の経験のため、しっかりとたてられたから

坂の街はケーブルカーが極めつきの交通機関

だそうです。

それにしても六、七〇年以上もたった建物が堅固というのは経済的ではありませんか。高額な相続税を払えなかったら更地で物納せよという、日本のような制度がないからかもしれませんが。なにしろロケイションのいいこと天下一品。環境、見晴らし、交通の便、買い物、レクリエーション、すべてがどこよりもととのっているのです。名物のケーブルカーは観光客に人気が高いけれど、住人にとっても極めつきの交通機関なのです。海辺で食事を、と思えば、チンチンとのどかにベルを鳴らしながらものの一〇分も乗ると、終点

観光客で賑わうフィッシャーマンズ・ワーフ

のこれも有名なフィッシャーマンズ・ワーフに着きます。どこまで乗ろうと一人二ドルというのですから嬉《うれ》しいではありませんか。

ある冬の朝、私は朝の散歩にフィッシャーマンズ・ワーフへ出かけてみました。観光シーズンにはごった返すこの辺りもほとんど人影がなく、蟹《かに》の香りが辺りを占領していました。

私がフィッシャーマンズ・ワーフに初めて行ったのは四〇年以上も昔、学生時代です。蟹を茹《ゆ》でているので思わず唾《つば》を飲み込み、小さなカップに入っているカクテルを食べてみました。ところが見ると食べるとでは大違い。思い出は確かなものではありませんが、水っぽくてがっかりしたのを覚えています。私は特に蟹好きではないのですが、アメリカ食にうんざりしていたので、せめて海の産物の自然な味をと期待して、希望と夢が大きすぎたのかもしれません。それ以来、何度も来て何回も蟹を食べさせられましたが、自分からはここの蟹を食べようとは思いません。

アクアティック・パークに行くと、砂を洗う穏やかな波の音が辺りの静寂とマッチして、本来のサンフランシスコの姿を見せていました。サンフランシスコといっても冬は寒い日もあります。にもかかわらず、一人の男が泳いでいました。都会のど真ん中の自宅から一〇分で海に泳ぎに来られるところなんて、他にどこがあるでしょうか。

この浜からビーチ・ストリートを渡ると、向かいはギラデリ・スクエアです。赤煉瓦《れんが》の建物と、斜面も美的なデザインを取り入れたショッピング・センターで、中庭には大きな木のある野外カフェもあります。

さらにこの通りにはザ・キャナリーやザ・アンカレッジなどのショッピング・センターがあり、ともに斜面を生かした二階建ての建築であたたかいムード。中にクリスマス用品がきらきらぴかぴか、ところ狭しと飾りつけてある店もありました。クリスマスはもう過ぎたじゃない？　という人は去年のことを考えているからで、今年も必ず来るこの日のために早々と飾っているると思えばいいのです。写真を撮っていいかしら、とアジア系の女店員に聞くと、こちらも見ずに「ウ・フン」とOKしてくれました。もうすっかりアメリカンです。

ここから海沿いに歩いて行くと、ピア39というショッピング・センターに出ます。ピアはその名のとおり桟橋ですから海に突き出ていて、海を見下ろすレストランもあれば、ホットドッグにサンドウィッチ、スープといったスナックの店や、皮つきポテトにチーズをのせた屋台も出ています。パールの屋台では、日本人ハーフの女店員が客の若い男女に、日本ではロイヤル・ファミリーは必ずパールを持っている、と売り込んでいました。

ところで、私がピア39に初めて来たのは一九七〇年代でしたが、古くて汚くて、ホワイト・カラーが寄りつかなくなったようなところをアメリカは見事に変身させてしまっていたのです。日本が鉄筋高層建築に邁進《まいしん》しているとき、ピア39では古い木材を歩道にまで用いて、アメリカ風ワビ・サビのある木造二階建てのショッピング・センターを造りました。しかも大きくなく小さくなく、老人でもぶらりと歩いて全部見て回ることができます。

　このピア39で観光客に最も人気があるのが、Kドックのカリフォルニアあざらしの群れです。数百頭はいるでしょうか、浮かんでいるボードに隙間《すきま》も見えぬほど体を押しつけ合い日光浴をしています。その場所に入り込もうとして鼻先で追い返されるはぐれあざらし、海中でじゃれ合う若いあざらし、恋路を邪魔するいたずら者と、あざらし百態が演じられています。ピアの手すり沿いに観光客もずらりと並んで飽きもせず見ていますが、どの顔も和《なご》やかです。テレビもその日のあざらしの様子を放映するほど、彼らはサンフランシスコの家族の一員なのです。

Kドックのカリフォルニアあざらしの群れ

　食事は家庭が一番。友人宅の近所の食料品店に注文して、Tボーン・ステイキをデリヴァリー・サーヴィスしてもらいます。厚さ約三センチ、長さ一八センチくらいで八ドル。レアに焼いてガーリックをすりおろしてつける。もう、最高！　地元なのでワインはカリフォルニアの赤をいただきます。

近所といえば、一〇〇メートルも歩けばチャイナタウンがあります。たまたま友人のメイドが中国人なので買い物について行きましたが、ここはまるでアメリカを感じません。汚れた葉がついたままの野菜が無造作に積み重ねられ、歩道に転がっています。見渡すかぎり人々は中国人、飛びかう言葉も文字も中国語。メイド曰《いわ》く、ここはスーパーより安くて物も新鮮、そうでないと中国人は買わないから。

スナックと書いてある店に入り海老《えび》焼売《シューマイ》とワンタン、胡麻《ごま》をまぶした餅《もち》の中にあんこの入った揚げ団子をデザートに買いました。安い！　美味しい！　帰宅して部屋から外を見ると青天白日旗が二つ、青空に翩翻《へんぽん》と翻《ひるがえ》っていました。

サンフランシスコの朝は、窓を開け霧がたちこめていたら雲上人《うんじょうびと》を決めこんで、部屋でテレビ見物。当家では四五のステーションが入るから、チャンネルをポンポンと替えているうちに、見ようかなというプログラムに当たる可能性は大です。

サンフランシスコの空は変わりやすい。青空になったらやっぱり出かけてみたくなります。街の中心地ユニオン・スクエアへも、ここからなら坂を下って歩いていける距離です。急坂なのでハイヒールは履きませんが、最近はゴム底のフラット・シューズが一般的になったので、ここの女性住人も楽になりました。

一九六〇年代初頭のユニオン・スクエアでは、老人たちが朝からベンチでぼんやり座っていたり、ヘイト・アシュベリーの名を世界に広めたヒッピーたちが全盛のころには、ぼろぼろのジーンズに上半身は裸といった汚らしい若者が芝の上にごろごろと寝転んでいたものです。けれども今回は寒い朝だったせいもあって、通勤に忙しげに通り抜けていく男女と、持参のパンを鳩《はと》にばらまいている人たちだけでした。時の移りかわりを公園で見るのも発見でした。

そして、この公園の向かいにあったのがI・MAGNIN（アイ・マグニン）。高級レディス・ファッションの店で、私が必ず見物しにいくところでした。

長年同じ店を見ていると、ファッション、人の層、景気などの動きが比べられ、世の中が見えてくるから面白いのです。かつては金髪長身のアッパー・クラス風女性が多かったけれど、ここ何年かは黒髪人種のアジア、ラテンアメリカ系に取って代わられました。時には香港《ホンコン》にいるのではないかと錯覚を起こすほど、周り中からかん高い中国語が聞こえてきたのです。

高級志向の女性の店ともなれば毛皮は店の顔のようなものでしたが、だんだんと売り場も小さくなって、客がほとんど入っていないようになっていました。私がちらっと見ただけで黒人の女店員がすぐ声をかけてきたりして、何も買わずに出るのは悪いような気がしましたが、ドレスにしても好みのものもサイズもなければ仕方がありません。黒髪人種の体型に合わせたドレスを置けばいいのに……と思ったものです。そのアイ・マグニンもついに閉じてしまいました。

そういえば、アメリカもようやく右ハンドル車を造り始めたとか。バイヤーのマーケットに合わせるのがビジネスというものでしょう。それでもまあこの界隈はヨーロッパの有名店がほとんど全部出店していて、聞くところによると日本よりははるかに安いとか。

さらに坂を下りてマーケット・ストリートに向かいます。ストリート・パフォーマンスの演奏が響いてきます。立ち止まって聴いていたものの、演奏している人たちを見るとこの場から去ったほうが安全という感じで、これまでに一度もゆっくりエンジョイしたことがありません。

この通りも最近は建物を建て替えたりしていますが、なにせホームレスにバッグ・レディ（紙袋に必要品を入れて生活している女のホームレス）といった汚い人たちが多いのです。薬《ヤク》中毒かヒッピーのなれの果てなのかもしれませんが、こんな姿を旧共産圏や開発途上国の人が見たらなんと思うでしょう。

私は建築デザインが好きなので、最近のサンフランシスコは楽しい所になりました。あるビルは中央に大きなアトリウムがあり、ガラス張りの高い天井からは日光がさんさんと入ります。天井近くにある大きな水盤からは水があふれ落ち、雄大な動く装飾になっています。以前はマーケット・ストリートの南は歩くなと言われたものですが、新しい建物ができてきたので様子は変わりました。建物自体がアートのようなアート・ミュージアム。通りを隔てて地下に半分も潜り込んでいるマスコーン・コンベンション・センターは、空を覆《おお》うほどの高層にしないで、低くして大空を生かす工夫が施されているのです。とにかく最近の建築は、ユニークな発想でデザインが斬新《ざんしん》です。

こうして歩き疲れたころ、ケーブルカーでノブ・ヒルに上り、フェアモント・ホテルに寄ってアフタヌーン・ティーをとり、家に戻ります。シャワーを浴びて一休みして、空が赤く染まり始めたらちょっといいドレスに着替えて、夕暮れの一杯に出かけるのです。行く先はこれも歩いていけるマーク・ホプキンズ・ホテル。一九階のトップ・オブ・ザ・マークのウェイターに慇懃《いんぎん》に迎えられながら窓際《まどぎわ》に席を取り、街に灯がちらちらと瞬《また》く景色を眼下に、カクテルを味わいます。この時間になると、私もようやくレディの振る舞いらしくなってくるのです。

ヴァラエティに富んだ街は、それに応じて私も変えてくれる。それがサンフランシスコのなんともいえない魅力なのです。

VENEZIA
ヴェネツィア　イタリア

「最も」という言葉を滅多に言わない私ですが、ヴェネツィアは「世界で最も」という形容詞が堂々とつけられる、最もユニークな都市です。華麗な歴史を持つ美しい都市づくりのみならず、美術の宝庫であり、都市そのものが美術館なのです。この街に自動車も自転車もないというのは、「ヴェネツィアは人間のテンポで、じっくりと見て、味わって、感じよ」と、天がそうつくらせたからでしょう。

初めてヴェネツィアへ行ったのは一九五九年八月、ちょうど映画祭のころでした。テレビ取材のため、夜、飛行機でヴェネツィアに着いた私たちは、そのままリド島へモー

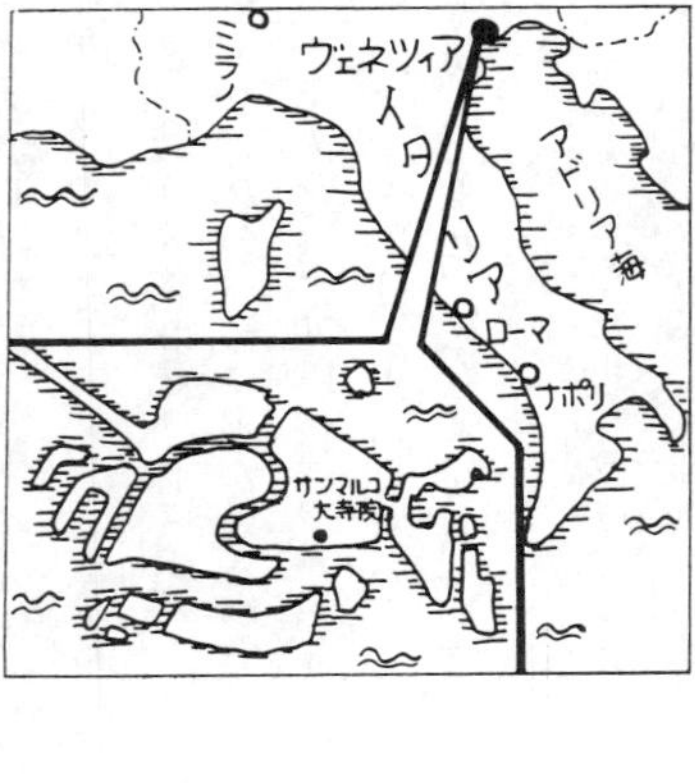

ターボートを飛ばし、パーティー会場の入口で着飾った名士たちを待ったのです。

この日のホステスはジーナ・ロロブリジーダ伯爵《はくしやく》夫人。車から降りてきた伯爵夫人はサーモン・ピンクのジョーゼットのイブニング・ドレスを身にまとい、歓声を上げて迎える観衆に素晴らしい笑顔で応《こた》え、歩みと共にひるがえるイブニングは、まるで天女と羽衣でした。天国の空気をその場に残して会場に入っていったジーナの美しいドレスと着こなし、エレガントな振る舞い、気品ある美しさに私は圧倒されました。ふと気がつくと、周りにいる取材人たちも全員タキシード。それに比べて私のスタッフは、普段着姿。私は白のコート、というと体裁がいいが、旅で薄汚れた惨《みじ》めなもので、この雰囲気にはまったくそぐわない哀れなものでした。

一九五九年、初めての世界旅行で多くのことを学びましたが、ヴェネツィアで得たのは、たとえ取材であろうと場所に適した衣服を着用する、ということでした。翌日、私はリドの海で泳ぎました。当時はまだリドの浜にもビキニ姿はなく、私の好きな真っ白のワンピース水着でもひけをとらなかったのは、せめてもの救いでした。

あの時のヴェネツィアには、ロロブリジーダの美に勝るものは、見当たりませんでした。アドリア海の真珠と称《たた》えられ、世界中の水の都が「○○のヴェネツィア」の御名を賜れば随喜の涙だというのに、本物のヴェネツィアは水も汚く、ゴンドリエーレ（ゴンドラの船頭）は笑顔どころか一言めにはマネーにこだわり、失望の連続でした。最後の打撃はサンタ・ルチア駅でティケットを買ったときです。お釣りを数え、足りないので請求したら、その分はチップであるとにべもなく答えられ、国情の違いにショックを受けたのです。

しかしヴェネツィアは、一回だけの訪問で「見た」「知った」と言える都ではありませんでした。取材対象はいくらでもあり、何回も訪れることができたのは、まったく幸いでした。ヴェネツィアの真価が見えてくると、汚水もゴンドリエーレもみんな消え去ってしまうのです。

まずはヴェネツィアのたたずまいです。晴れた日には刻一刻と変わる太陽の光と影、そして天が気まぐれにプレゼントしてくれる霧、雨、雪。それらが街のたたずまいと織りなす美はヴェネツィアをおいて他にありません。先人たちが築いた栄華の遺産もさすがですが、これを今まで持ちこたえた子孫も偉い。時代とともに利便性を追求した人もいたでしょうが、リオ（小運河）の埋め立ても古い建物の撤去もしなかったのは、ヴェネツィアの歴史を尊重したからでしょう。一四世紀の地図がいまだに通用する都が、他にありましょうか。

ヴェネツィアの更なる真価の探究は、建物の内にある美術です。これが一つや二つの美術館に集められているわけではありません。あちこちの教会やパレスに、世界の宝ともいうべき絵画が納まっているのです。これを見て回るにはまず健脚であることと、少なくとも一週間の滞在が必要です。滞在は豪華、有名なホテルでなくとも、便利な場所で清潔ならOKです。私はサン・マルコ広場とリアルト橋の中間あたりに宿をとります。何しろ、地上の乗り物がなく、どこへ行くにもわが足が頼りですもの、歩く距離を少しでも節約したいからです。

ヴェネツィア派の創始者といわれるベリーニの息子ジョヴァンニの、『聖母子』(一四八八年)は、大運河西岸のサンタ・マリア・デイ・フラリ教会にあります。大運河の対岸地区なので私のホテルからはリアルト橋を渡っていきます。この教会にはティツィアーノの名画『聖母の被昇天』(一五一八年)とともに、ティツィアーノの墓もあります。ティツィアーノは盛期ルネサンスの画家です。通りひとつ隔てた所にはサン・ロッコ学校があり、ティントレットの絵がなんと五十六枚も飾られているのです。ここを見終わるころになると、すでに足は棒のごとくなり、首も痛くなり、何を見たのかわからなくなってきますが、さらに歩いてサン・セバスティアーノ教会に入れば、ヴェネツィア派画家のヴェロネーゼが描いた天井画や壁画を見ることができます。

翌日はドゥカーレ宮殿の壁のティントレットの世界最大といわれる『天国の図』その他を見、一四世紀建築のサント・ステファノ教会でもティントレットを、サンタ・マリア・ゾベニーゴ教会ではルーベンスのマリアを見ます。ルーベンスは一七世紀を代表す

サンタ・マリア・デイ・フラリ教会

るフランドル最高の大画家ですが、一六〇〇年からヴェネツィアに滞在し、ヴェネツィアの大画家から多くを学んでアントワープへ帰りました。

次の日もまた、ずっと東に歩いてサン・ザッカリア教会でベリーニの『聖母子』を見ます。このサン・ザッカリア教会は、キリストを洗礼したヨハネの父、ザッカリアの遺体がある教会です。遺体は九世紀にビザンティンの皇帝が友好のしるしにヴェネツィアに贈り、この教会が建てられたのです。サン・マルコ大寺院のサン・マルコの遺体が、九世紀にエジプトからもたらされるまでは、このザッカリアがヴェネツィア最高の聖遺体でした。サン・マルコ広場対岸のサンタ・マリア・デラ・サルーテ教会にも、さらに南の島のサン・ジョルジョ・マッジョーレ教会にも名画があります。ちなみにこの島でサミットが行われましたが、小さな島なので警備も楽です。私が行ったときは周りの海中の調査をしていましたが、交通渋滞も、ものものしい警備体制もありません。こういう所を今後のサミットに使ってもらいたいものです。

美術はまだたくさんありますが、興味のある方はその方面のガイドブックを片手に、足と時間の続く限り回られることをおすすめします。三日も歩けば、ヴェネツィアの道は生まれたときから住んでいるように覚えてしまうでしょう。これがまたなんとも親しみがわいてくるのです。

ヴェネツィアがかくも美術の宝庫となったのには、地理的な位置と歴史が深くかかわっています。詳しい歴史はそれなりの本に任せますが、この小さな海上都市の生い立ちの幅広さ、底深さは必読の価値があります。日本と比較して読めば日本のあり方が見えてきますし、世界史を読んだような気分にもなってしまいます。ここでは簡単にさわりだけ述べると、一一世紀に海運力の強化で海を制し、人種、宗教にこだわらず貿易経済に重点を置き、一三世紀から一五世紀にかけて黄金時代を迎えました。ヴェネツィアの商人、マルコ・ポーロが中国へ行ったのも一三世紀です。

マルコ・ポーロはイタリアにスパゲッティをもたらしたといいますが、北イタリアのここでは海産物と米料理が美味《おい》しいのです。ただし観光客相手の店が多いから、どこで食べても満足というわけにはいきません。私なら、混んだレストランで、客がイタリア語で話し、常連のようだったら試してみます。

こうやって探し当てて通った店はリアルト橋近くにありました。食事どきはウェイターの声が嗄《か》れ、目が血走っているほどの忙しさでしたが、そこはチップの力で、どんなに混んでいても何とか席を作ってくれました。

魚はいつも新鮮で、アンティパストに何種類かの貝が出され、中でも細長いマテ貝は絶品でした。次のプリモ・ピアット（第一の皿）はリゾットで、魚のスープに蛤《はまぐり》、オイル、ガーリック、白ワインで米を煮込んだもの。メイン料理は炭火で焼いた大きな魚一匹で、オリーブ・オイルをかけハーブで香りづけしてありました。ワインはヴェネツィアに近いヴェローナ産の白ワイン、ソアーヴェ。余談ですが、ヴェローナは『ロミオとジュリエット』で名高いのです。近郊に産する赤ワインは、イタリアを溶かしたように甘くて情熱的な味なのです。

さて、チーズ、デザート、フルーツをたっぷり食べても、値段は一人当たり五千円ぐらい。ときには近くの海辺の魚市で買った魚も料理してもらいましたが、こんな自由がきくのもチップの力です。ここイタリアではチップの力が、時には王侯貴族の気分さえ

カーニヴァルを観る人で鈴なりのアカデミア橋

味わわせてくれるのです。

貴族といえば、T伯爵に知り合ったのはカーニヴァルの時期でした。伯爵の年齢はたぶん七〇歳くらい、古きよき時代の貴族の身のこなしを残し、さほど大きくないながらもパレスにエチオピア人の召使と住んでいました。

パレスの一階の床は海の水がしみこんでいて、沈下していました。建物内の階段を二階に上がり、大きな木の扉を開けると、そこは高い天井の大広間で、伯爵は一六世紀風のドレスであらわれた私をうやうやしく頭を深くさげて迎えてくれたのです。大広間の窓からヴエルサイユ宮殿の庭園のような景色が見えたので、はてな、と思ったらこれは絵の窓で外の庭も絵だったのです。

伯爵は父方、母方がフランスとイタリアの貴族なので、たぶん、広い庭園の館《やかた》にも住んでいたのかもしれません。伯爵が私に見せたかったのは先祖代々から伝わる財宝ではなく、彼の作った衣装の数々でした。こういっては何ですが、ご身分とはおよそかけ離れた品物なのです。ペラペラの布地にビーズやスパンコールが縫いつけてあったり、不器用に色をぬった靴であったり、ハリウッドも考えつかないような中国服であったりで、それが彼の部屋からあふれ出て広間の一隅にも広げられていたのです。まじめにエレガントにこれ等の作品を手にとって説明してくださいましたが、しばらくすると自分は約束があるので出かけるが、ゆっくりとお茶を飲んでいってくださいといって、長い羽のついた帽子をかぶり中世の騎士となって外出してしまいました。私は奥のこぢんまりした部屋でエチオピア人の出す中国風のお茶をいただきました。そして長い衣装を引きずり絹のすれあうサワサワという気持ちよい音に酔いながら中世の貴婦人の気分で階段をおりてパレスを後にしました。

伯爵の生き甲斐《がい》はカーニヴァルの雰囲気にどっぷりと浸ることです。毎年二月頃に行われるヴェネツィアのカーニヴァルは古くから知られ、集まった人々は天下晴れての大騒ぎをしていたようです。鳴りを静めていたのは、一七九七年にこの地を占領したナポレオンが、仮面をつけて集まることを禁じたときと、第一次、第二次世界大戦の最中です。一八八三年には、ヨハン・シュトラウスが『ヴェネツィアの一夜』という題で、カーニヴァルを描いたオペラを作曲しています。ポール・ジュナン作曲『ヴェネツィアのカーニヴァル』のフルート演奏も軽快で楽しい雰囲気です。ヴェネツィアが人で溢《あふ》れるのは、夏の観光シーズンだけではありません。冬にも冷気を吹き飛ばす熱気の溢れた人々が集まるカーニヴァルなのです。

カフェ・フロリン前の伯爵と知人

　人々はみな仮装をして街を練り歩きます。伯爵も日に何度も衣装替えをして、サン・マルコ広場のカフェ・フロリンに現れるのです。フロリンは一七二〇年にオープンした店で、ヴェネツィアを訪れたゲーテ、バイロン、ディケンズはもとより、古今東西の名士が必ず立ち寄ったという老舗《しにせ》です。冬場のフロリンは土地の人の社交場でもありますが、カーニヴァルの時期は仮装した世界中の人々がたむろする場です。お蝶《ちょう》夫人とは言えず〝お蛾《が》夫人〟のように凄《すご》いメイキャップをした着物姿の白人女性も、顔を目の周りだけ残して茶色に塗ったオセロや、片目の海賊、清《しん》の皇帝にアラブ商人も、仲良く時代を超越してテーブルを囲んでいました。

T伯爵はそこに、時代をさかのぼった貴族の姿で現れました。宮廷貴婦人姿の知人と出会って、慇懃《いんぎん》に挨拶《あいさつ》する様を見ていると、一一世紀に建てられたサン・マルコ大寺院や、一六世紀に建てられた広場の回廊と全く相まって、これが二一世紀に近づかんとしている今日だとは信じられません。今日的なのは、伯爵が他の都市で行われているカーニヴァルにも参加し、飛行機でとんぼ返りしてくることでしょう。何しろ、彼がヴェネツィアに居を構えた最大の理由は、カーニヴァルが行われるヨーロッパの都市を手軽に往来できるからなのだそうです。

カーニヴァル前夜は、イタリアのテナー歌手として世界的に有名だったデル・モナコの姪《めい》の邸《やしき》で、大パーティーが行われました。もちろん、全員仮装です。私は急きょ貸衣装店でヘンリー八世の二番目の妃《きさき》、アン・ブーレンの衣装を手に入れ、裾《すそ》を引きずりながら、冬の運河沿いを歩いてでかけました。アンの産んだ娘が後のエリザベス一世ですが、パーティーでは年増《としま》のでっぷりとした大女がエリザベス一世に扮《ふん》していて、「オー、マイ・マザー」と懐《なつ》かしげに近寄られたのには、妙な気分でした。

クレオパトラもエジプトのファラオも豪華衣装で重そうでしたが、気品をとりつくろっていました。立錐《りっすい》の余地もないほどに混み合ったパーティーで、話す言葉もイタリア語が急にフランス語になったり英語になったりと、まさに往年の海運都市の国際的な姿でした。

T伯爵の衣装は、帽子から靴まで自分のアイディアであり手作りです。そのためのりこんできた有名なデザイナーの金をかけた衣装とは、申し訳ないが格段の差がついてしまうのです。カーニヴァルの夜の仮装のコンテストで、伯爵は入賞したことはありません。参加することに意義がある、という堂々とした貴族精神とでもいいましょうか。


シェイクスピアがエリザベス時代にごますって書いた『ベニスの商人』のユダヤ人ゲットーへ行ってみました。ゲットーもひとつの島で、小さい運河の橋を渡ると、入口にヘブライ語とダビデの星が書かれ、広場にはナチの虐殺《ぎゃくさつ》をレリーフにした銅板が設置されていました。

ゲットーはひっそりとしていました。冬のヴェネツィアは冷たいのです。彼らの多くは、ビジネスがあるニューヨークに住んでいて、知人のグラス工芸家も店を閉めたままでした。

「また、来ました」と書いたノートの切れ端をドアの隙間《すきま》に差し込んで、私もヴェネツィアを発《た》つ準備をするために、ホテルに戻りました。

今度はいつ来られるかしら。ヴェネツィアに来るなら健脚のうちです。イタリアから異議を申し立てられるかもしれませんが、私はヴェネツィアはどこの国のものでもなく、世界が人類の遺産として維持し保持していく義務を持つ、地球上の宝とさえ思っているのです。

カーニヴァルの夜の仮装を楽しむ人々

PERTH
パース
オーストラリア

西オーストラリアの州都パースについて、私は重大な責任を感じています。一九六九年に初めて訪れて取材し、放映した番組の中で「パースはリタイア後に住むお薦めの地」として紹介したのです。何故《なぜ》ならば、日本の財界の長老方がお集まりの席で「日本は住みにくくなったから（一九六〇年代の話である）、どこか他の国のいい所を見つけてください」と頼まれたからでした。ですから、私は正直に探し回り、パースならばと公言したのです。

オーストラリアは日本の真南に位置しています。日本のおへそと称す、兵庫県西脇《にしわき》市から南の明石《あかし》市は東経一三五度で、その線をもっと南にいくとこれもまたオーストラリアのおへそに当たるアリススプリングスあたりに行きつくのです。赤道をはさんで両おへそが同経度にあるのも、何かご縁があるようで親しみがわいてくるではありませんか。日本の東端に近い根室市は東経一四五度三〇分、これも南にたどるとオーストラリアの旧首都メルボルン辺りです。そういえば福井県越廼《こしの》村はオーストラリアの同経度のポートリンカン市とシスターシティとして提携し、お互いに親睦《しんぼく》を図っているそうです。

ちなみに経度に関係なく世界の都市と姉妹都市提携をしている日本の自治体は、八五組（一九九九年現在）で、アメリカ、中国に次ぎ三番目に多く、オーストラリア側としてはアメリカに次ぎ二番目だそうです。

さて、オーストラリアにいつ、どうやって行こうかと飛行機のスケジュールを見て驚きました。日本からオーストラリア東部へは週に三八便もあるではありませんか。オーストラリアのカンタス航空だけでもです。しかも成田、名古屋、関西、福岡各空港から離発着しているのです。それに西部のパースにも東京から直行便が週に三便。オーストラリアがかくも身近になるとは……。

とはいうもののオーストラリアは日本の二〇倍の面積です。東部から西部へいくのにジェット機で三、四時間、列車でいけば何と二日半もかかるのです。列車は太平洋とインド洋を結ぶので、インディアン・パシフィック号とよばれ、食堂車は勿論《もちろん》、ピアノ・

ラウンジもある娯楽室もそなえています。個室は一車両に九室あり、ベッドは不要の時はたたみこんでソファだけになりますし、一般車両なら個室の約三分の一の運賃で、四二四オーストラリア・ドルでいけます。

かつてオーストラリアは州ごとに鉄道の軌道幅が異なっていて、すんなりと横断できませんでしたが、イ・パ号は専用のレールを走るから速く（？）横断できるようになったのです。それにしてもこの広い土地に人口は約一九〇〇万人。私が初めて行った一九六九年頃は多分一二〇〇万人くらいでしたからずい分とふえたものです。

南半球にあるパースの緯度は約三二度で北半球なら宮崎市ぐらいですが、四季は逆だから日本の冬は現地の夏。気温は二月の暑い時で三二度前後、夜は二〇度前後と涼しく、冬は寒くても一〇度前後で、日中は二〇度前後です。当然、雪も霜もなく、雨はほどほどでしのぎやすく、衣服の種類も多くなくてすみます。今回私が訪れた三月は、日中の気温が三四度という日が毎日続きましたが、日陰に入ると冷たい風が吹いて涼しく、湿度もまた低いので、暑さは気になりません。

一九六九年にこの地を訪れたとき、一番印象的だったのは空の青さでした。取材スタッフが空を見上げて歓声を上げて、

「空ってこんなに青くて、こんなに澄んでいて、こんなに清らかなんですか！」

私は、この人は少しオーバーかな？ それとも詩人なのかしら？ と顔を見てしまいました。当時の私はほとんど取材で頻繁に海外にでかけていたため、日本の空を意識して見たことがなかったのです。帰国して改めて空を見て驚きました。青空はたまの休日などに見ることはあっても青さがちがう。空の青さは空気の清浄さの証明です。事実パースには工場がないのです。ついでに東京の夜の空も眺めていたら、何か物足りない。暗くて殺風景なのです。そう、お星様が見えないのです。「星空のロマンス」なんて、イメイジもわかなくなって、死語になってしまうかもしれません。

余談ですが、「初恋の味」というあるドリンクのキャッチフレイズがありました。これを現在検討したら、「初恋」なんてわからないという若者の反応があったそうです。

パースの高級住宅地は、リヴァー・ヴュー（川の眺め）が価値に含まれています。パースはスワン川に面していますが、川といっても湖のように広がり、その河口は市の中心から二〇分ほどいった先のフリーマントルで、インド洋につながっています。河口に港があるので、パースは入り江の奥座敷といったところです。

並木の茂っている高級住宅地をドライヴしながら家の値段を聞いたら、この辺りの住宅地は、ミリオネア（百万長者）通りといわれているからそのくらいでしょう、といわれました。当時はオーストラリア・ドルは約八〇円でしたから、あの豪邸は八〇〇〇万円ということです。建物は古い英国調、近代南欧風、三角屋根の塔のある家、煉瓦《れんが》造り、等々とじつにさまざまで、こうした家のデザイン見物もまた楽しいものです。

❦

レクリエーションは、スポーツ国オーストラリアの最も得意な分野です。まずはゴルフ。パース周辺に軽く一〇カ所。ちょっと範囲を広げれば二〇カ所はあります。パースの人口は一二〇万人、二〇数年前に比べると倍にふくれあがっていましたが、ゴルフ場は特に著名なところでなければ、いつ何時でもふらりと行ってプレイできます。しかもグリーン・フィーは二〇ドル前後なのです。

私が泊まったホテルはゴルフ場つきで、朝の六時半からもうプレイしている人たちがいました。ホテルの部屋からはゴルフ場、スワン川、市の中心に建つモダン・デザインの高層ビルが一望でき、川ではウォーター・スキーをしている人たちもいました。

スポーツではないけれど、このホテルには巨大なカジノもあり、ちょっとしたラスベガスの雰囲気も味わえます。賭《か》け金の高いVIPルームには、最低賭け金が一万ドルからというバカラがあり、この日はちょうどイスラム教のラマダン（断食《だんじき》）明けだったため、隣国から遊びにやって来たインドネシア人や中国人たちが無表情でプレイしていました。こういうのは見ているだけで楽しい。こちらの懐《ふところ》は入るものも入らないけれど、すっても痛まないというところに安心感があるからです。やっぱり女の肝の小ささでしょうか。

湖のようなスワン川から見たパースの街並み

一般の大部屋では、トゥー・アップといってコイン二個を投げ、床に落ちた面を賭けるゲームもあります。これはオーストラリア特有のもので、ヘッド（表）かテイル（裏）か、という簡単なものです。直径五メートルぐらいの円形の賭場《とば》を囲んで、たくさんの人がコインの落ち具合に集中していました。これは最低賭け金は二ドルです。カジノは前に訪れたときはなかったので、リタイアの場としてお薦めしたのですが……。

かなりの人がパースに移住したので、私も心配になって、たまたま日本に帰国中の人に居心地をたずねたら、ほとんどの人が喜んでいてくれました。ただ一人、中国人だけが、「パースはとてもきれい。でもね、清く正しい、人間はそれだけではダメ」と中国語訛《なま》りの日本語で生活哲学を述べてくれました。でも彼だってパースに住んだおかげで元気ばりばり、今は若い奥さんをもらい子供さえ恵まれたのです。

私がパースをお薦めした理由のひとつは、スワン川の辺《ほとり》という広い水辺があることです。私自身水が大好きで、子供の頃から視野の広がる海の側《そば》に住むことに憧《あこが》れていましたが、長ずるにしたがって海水のベタつきが気になり、塩害も聞かされ、そのうち、諸外国の川べりの住宅を見て、淡水の辺に住むメリットに関心を持つようになったのです。パースはスワン川というよりスワン・レイクといったほうがいいような広い水辺にあり、あちこちにヨット・ハーバーもあります。ここに暮らす人々は、休日といわず退社後にも家族や友人を招いてクルージングなどを楽しんでいるのです。

三〇年ほど前、オーストラリア人家族のヨットに乗せてもらったとき、日本人には別世界の生活のようでしたが、今回は在住日本人たちも乗船し、飲んで食べて大いに談笑していました。そんな姿を眺めていると、四分の一世紀という年月は素晴らしい時代を育てたもの、と思わずにはいられませんでした。そういう時間と場所とムードを得られるのもパースの生活の良さではないでしょうか。

東部のメルボルンはガーデン・シティと言われ、街中が森の中の公園みたいなのに、さらにいくつも公園がある都市ですが、パースは青い空と広々とした水域に公園があちこちにある街です。中でも代表的なのが、キングズ・パーク。以前はキング、アポストロフィにs（King's）でしたが、今はキングス・パーク（Kings Park）になっています。「王のもの」でなくなったところに、オーストラリアの動きが感じられなくもありません。

キングズ・パークはパースの東端、街と川を一望できる高台にあります。高台といっても、マウント・エリーザといって一応は山であり、自然林を含んだ千エーカーという広い公園です。一八三〇年代に土地観測人がここの自然を残すことを定めたというから立派なもの。日本は天保《てんぽう》時代のことでした。

公園内の舗装道路をドライヴすると、片や自然林、片や見事に手入れされた芝や池、丘陵、そしてゆとりを持って配置されたベンチなどがあります。けれど、どこにでも不可解な人間はいるもので、この自然林もたびたび放火されるそうです。黒い木々が為《な》すすべもなく裸の姿で立っていましたが、これも自然の偉さ、面白さで、火事で焼けるから堅い実がはじけて芽がでる木々もあるというのです。オーストラリア原産のユーカリプトスの並木もあります。真《ま》っ直《す》ぐに高くそびえていて気品ある木です。

ユーカリは全部で七〇〇種類ほどあり、そのうちの数種のみがコアラの食料になりま

レモンの香りがただようキングズ・パークのユーカリプトスの並木

すが、この並木の葉を手で揉《も》んで嗅《か》ぐと、全くレモンそのものの香りがします。その名もレモン香ユーカリです。他にペパーミントの香りのするユーカリもあります。不思議な木々です。植物の好きな人にとってもこの地は飽きないでしょう。

オーストラリアには二万五千種類の植物があるそうですが、そのうちの一万二千種類は西オーストラリアにあります。さらに、その中の八千種類はパースの所在する南部にあり、うち六千種類は、他の地では見られない植物だそうです。西オーストラリアのワイルド・フラワーは、鮮やかな色と変わった形がユニークで、私たちが思い描く花の形の常識をやぶってくれます。キングズ・パークはこれらの植物も集めてあります。

さて、住むには、食べ物は重要な要素です。オーストラリアといえば、羊や牛などの肉が知れ渡っていますが、パースはインド洋からの魚が美味《おい》しく、しかし魚のほうが肉より高価です。パースから二〇〇キロほど離れたところの牧場の娘キャサリンが言うには、羊など安いときは一頭で三～四ドルになってしまうそうです。一頭三〇〇円！　これなら東京で、鮭《さけ》を一切れ買うより安いではありませんか。

食べ物がヴァラエティに富んできたのは移民、難民のおかげです。パースのダウンタウンは小さいので、ぶらり歩いてみると、中国料理や、イタリア料理はもちろん、ヴェトナム、インド、レバノン、ギリシャ等々のエスニック料理店が軒を並べています。看板と香りと賑《にぎ》わいで、食欲をそそられて入ってしまうというわけです。ジャズの演奏を聴かせるレストランもあり、ウィークエンドは学生たちが、サイド・ウォーク・カフェで楽しげに若さを発散しています。

私はヨット・ハーバー近くの水辺のレストラン「マティルダベイ」に行きました。飾りつけが近代アートのようなレストランです。メニューを見ると、一番高価なのがキング・プローン（伊勢海老《いせえび》？）で二四ドル。二〇〇〇円前後です。刺し身もありましたが、カンガルーとエミュを食べてみました。保護鳥のエミュも、今は食肉用に飼育されているのです。味はキジのようであり、肉も柔らかく、食べやすい。カンガルーは、ローストしたのは鹿肉《しかにく》に似ているというか、脂《あぶら》のないビーフのようでもあり、これもいけました。カンガルーのソーセイジも香料がきき、粗挽《あらび》きの肉で野趣があり、これもいけます。一緒にいたオーストラリア女性は食べなかったのですが、きっと何か先入観があるのでしょう。

私にとっては遠出、彼らにとっては何てことはない、三〇〇キロほど南のマーガレット・リヴァーの街に行ってみました。この界隈《かいわい》は、三〇年足らず前からワインを作り始め注目されています。澄みきった青い空が一日中見られ、地球は美しい、何と恵まれた星であろうかと、感激を新たにしてしまうところです。

マーガレット川の流れ出るあたりの沖がインド洋と南氷洋のぶつかるところで、大波の名所です。パースからのドライヴの途中、何台もの車がサーフボードを載せて走っていましたが、若者たちはここを目指していたのです。この浜辺ではサーフィンの世界大会、「マーガレット・リヴァー・マスターズ」が行われるそうです。海は藍《あい》を溶かしたように青く、白砂のため浅瀬はエメラルド色をしています。海はこのようにきれいなものなのです。

波打ち際《ぎわ》では、すでに何十人ものサーファーが、朝早くから大波と格闘していました。浜には何ひとつ人工的な建物はなく、背後は見渡すかぎりの灌木《かんぼく》です。大別すると四種類ほどの灌木で、春になると一面、花で覆《おお》われるとか。そんなところにただ一軒、小さな真っ白いギリシャ教会が建っていました。マーガレット・リヴァーの街には、たったひとりしかギリシャ人がいないそうですが、この空、この海はギリシャを偲《しの》ばせたのかもしれません。

マーガレット・リヴァーの辺りを案内してくれたマークは、この近辺で移住者の残した最古の家を買い、夫人と二人で修理改装をしていました。川べりから続く斜面には大木と花、石のテラスが

マーガレット・リヴァーのサーファーズポイント

あります。博物館にするの？　と聞いたら、自宅にするのだといわれました。彼はニュージーランド生まれなのです。

ランチはブルックランド・ヴァレイのぶどう畑の中にあるレストランに行きました。花に囲まれた木造の一軒家で、ベランダが池の上に張り出し、水鳥がその日陰で休んでいました。席に座るとまず、三種類のワインが試飲用に出されました。白はソヴィニョン・ブロンとシャルドネーで、赤はメルローとカベルネ・ソヴィニョンのブレンドです。レストランといってもぶどう園のオーナーが好きなように経営している店で、一室はギャラリーになっていてアートが展示されていました。ここの主人もニュージーランドからこの地に移ってきた人です。

マーガレット・リヴァーのホテルで会ったカナダの男性も、恋人がオーストラリア人なので遊びに来たのですが、「ここは四〇年前のカリフォルニアだ、将来は幸せに満ちているようなところだ」と移住をほのめかしていました。

夜はパースのクルージングで会ったデニスの住まいによばれました。林の中の木造の家で、高い天井に大きな暖炉、広いキッチン。夕食はテラスでオーストラリアの典型的なバーベキューです。

煉瓦の炉に鉄網をのせて、ここですべて料理してしまうのです。バーベキューになるとオーストラリア・ハズバンドの出番。女たちは皆座って飲んでおしゃべりをし、男たちは立って飲んで料理をする。まずは銅鍋《どうなべ》でムール貝の白ワイン蒸しです。煮詰まると固くなるからと言って、デニスは次から次と柔らかいできたてを皿にのせてくれました。美味しい！

メインは焼肉ならぬ、白身の大魚をフォイルに包んで蒸し焼きです。デニスもぶどう畑を持ち、白ワインのシャルドネーはすでに金賞を受賞しています。料理は、もちろんそのワインに合わせたもの。夜空は空気がきれいな故《ゆえ》か、星がくっきりと見えました。南十字星が両手を広げて、私たちのところに降りてきたいとでもいうように輝いていたのです。

久しぶりにパースを見て、リタイアの人に薦めたことに悔いはありませんでした。

パリ　フランス
PARIS

古い話で恐縮ですが、パリについては第二次大戦前に留学、遊学したオジ様連中からたくさん聞かされていました。彼らは船旅で四〇数日もかけ、ようやくマルセイユに上陸すると、汽車に乗ってパリに向かったのです。話を聞いていた私にとって、パリは遠い遠い所にあるユートピアのような街でした。

当時の外国留学は、イギリス、ドイツ、アメリカにも行ったのに、フランスはパリに留学した人の話題は、断然、豊富でした。そのせいか往年の名評論家、高田保さんは、一度もパリに行ったことがないにもかかわらず地図がかけたというし、タバコ屋の角を

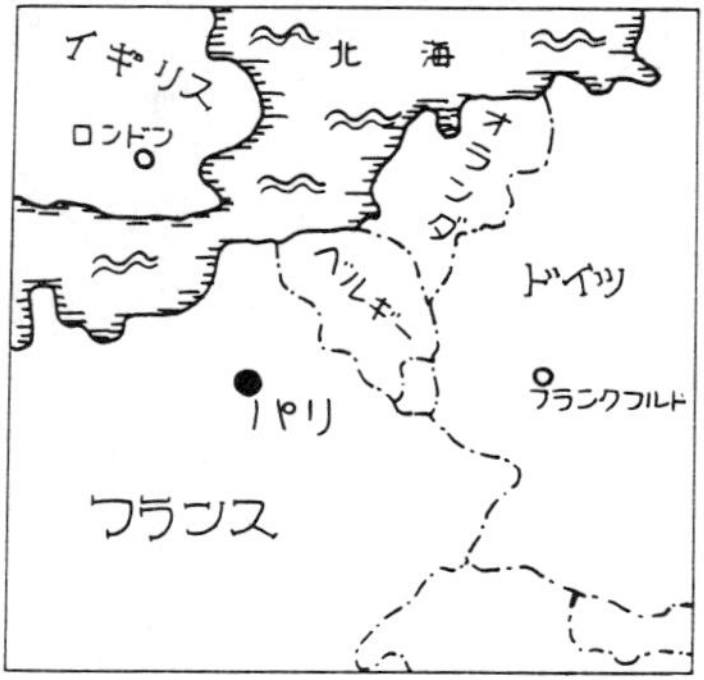

曲がった二軒目のカフェのマダムの目が、晴れた日には更に碧《あお》かったことまで知っていたそうです。

当時の日本と異なって、パリはまったく自由の街であり、どこの国の人間であろうと外国人扱いをしない街でしたので、留学した人々もすぐに溶け込んでいったのでしょう。ましてや青年の日々です。「ブロンドの恋人ができたのが親に知れて送金を断たれ、アパートの窓から鳩《はと》の食べているパンをじっと見つめて唾《つば》を飲んだ、とまで貧しくなっても、日本に帰りたくなかった」とか、「下宿のマダムにかわいがられて、外で遊んでいられなくなった」とか、辛《つら》い話も楽しく語られました。失恋しても、お金がなくても、人種的にいやな目にあったというひがみっぽい愚痴は、一度も聞いたことがありません。

フランスでは四代遡《さかのぼ》って外国人の血が入っていない人は、六人に一人の割合だそうですが、元々紀元前からギリシャ、ローマ、そしてゲルマン、ノルマンと多くの異人種が入って来ているのですから、人種についてさほど関心がないのが当たり前かもしれません。大体、「どこの国籍?」「お父さんは何ジン?」なんて興味を示すのは日本人が多いのです。インド人もすぐききたがりますが。

現在のパリを支えているファッション界も、日本人デザイナーたちが大いに成功しているし、オートクチュールの大御所だったバレンシアガはスペイン人、ピエール・カルダンやニナ・リッチはイタリア系といった具合です。人種のるつぼというか、誰がいつ、どこに行っても違和感を感じさせないところがパリのキャラクターであり、真の国際都市の所以《ゆえん》でしょう。

私が初めてパリに向かったのは一九五九年の晩秋。ローマから初めてジェット機なるものに乗って、アルプスを越えたのです。眼下に見えたアルプスが雄大で美しかったこと！　着いた空港はオルリーでした。シャルル・ド・ゴール空港はまだなかったのです。当時、ローマとパリの空港ターミナルは天井が高くあかぬけていて、そこを行き交う人々もきらびやかで社交場のようでした。ミンクのコートをさっと羽織《はお》って、金の大きなイヤリングやブレスレットをした美しい女性たちが、さっそうと歩いていて、これぞヨーロッパ、と感じ入ったものです。

第一回目のパリの強烈な思い出は、初めて見たセーヌの流れでも、シャンゼリゼのカフェ・テラスでもありませんでした。今とはがらりと違う時代なので、実感が湧《わ》かない人も多いでしょうが、当時は一USドルが三六〇円で、日銀の許可が下りないとドルが買えなかったのです。それも一日分が一七ドル、六一二〇円で、これが大金でした。

そんな価値の時代、かの有名なレストラン、トゥール・ダルジャンで食事をして、ラディション（勘定書き）を見たときです。三人の食事代が日本円にして約一万五〇〇〇円！　今なら五〇万円ぐらいの感じかもしれません。これは当時の日本で、住み込みのメイドさんの三カ月分の給料に匹敵したのです。ドルにすれば五〇ドル足らずでしたから、アメリカ人にとってはそんなに高くなかったのかもしれませんが、同行のアメリカ人がそれを平然と支払い、更にチップを一五パーセントも置いたときは、彼がロックフェラーのように見えてしまいました。

　それでも取材初期のお金の乏しい時代のパリは楽しかった。床が傾いているような古いホテルに泊まり、ランチはカフェで、バゲットにサラミをはさんだ細長いサンドウィッチとレモン・ジュースだけ。これが一〇〇円くらいでした。これが今では全然味わえないほど美味《おい》しかったのです。そしてよく歩きました。取材は足でするもの。車を雇うお金もなかったのですが、これは二度とできない貴重な経験になりました。シャンゼリゼ大通りでは、凱旋門《がいせんもん》から広い歩道に張り出したカフェ・テラスを観察し、広い道路を渡りながら歩幅で道幅を測ったり、あっちへ寄ったり、こっちで立ち止まって見上げたりしながら歩きました。ロン・ポワン辺りを通り過ぎると、この辺りからは森の中のパリという気分でコンコルド広場へ。振り返ってみてこれが下り坂だったことに気がつきました。

　マドレーヌ寺院からキャピュシーヌ大通りへ出て、ショー・ウィンドーを覗《のぞ》きながら歩いてはディスプレイのセンスの良さ、色の豊富さに感銘し、オペラ座の横を抜けた通りでは、屋台の安い品物を見て下町を感じました。安い物にはイタリア製のものが多かったのです。そしてモンマルトルの丘へ上がっていきました。

地図もなく爪先上《つまさき》がりの道を通っていくと、ふと見覚えのある場所に出てきたのです。ユトリロの絵！　三つの道が出合うあの角の家なのです。感無量でした。過去が現実に現れたという不思議な感激でした。これがパリの価値なのです。

話はとびますが、ある地下の古いバーに行った時、私の隣に色の浅黒い白髪まじりの品の良い紳士が一人で静かに、何かを思うように座っていました。お互いに外国人ですしお節介でしたが私は気になって話しかけると、彼はこの店に三〇年ぶりに来たのだそうです。パリ留学時代に来た店で、ここが少しも変わっていないので思わず若き日が甦《よみがえ》ってきて胸にせまるものがあるというのです。

「少しも変わっていない」

とフランス語でつぶやき、私は老いたがパリは老いていないと小さな声でいうと、うす暗い部屋の天井を見上げていました。このハプニングは私には深い印象的な思い出となったものです。でもルーヴルのガラスのピラミッドが建ち、レ・アル（中央市場）が巨大なポンピドーセンターになるなんて……。あの老紳士が三〇年後に再びパリを訪れたら何というでしょうか。

さて、モンマルトルを歩いていくと、何と花のパリとは思えないぶどう畑があるではありませんか。モンマルトルは小さな農村だったのですが、二〇世紀半ばをすぎてなお、しかも花のパリの芸術家の集まる地、というイメイジからはかけ離れていて、思わずどこに迷いこんだか疑ったほどでした。画家達がキャンバスを前にしてしきりに絵をかいているテルトル広場にようやくたどりつきました。やはり物見高い人達がいましたが、画家に対して適当な人数ぐらいで、なかには多分パリ在住らしいアメリカ人もいて「どうだね、筆は進んだかね」とか「〇〇フランで買うよ」とか会話がかわされていました。自前の小さな椅子《いす》をもってきてお気に入りらしい画家のそばに座りこんで、ただ見ているだけの老婦人もいました。いうなれば結構いい雰囲気だったのです。ところが今はすっかり観光地となり、テルトル広場はカフェテーブルに占領され画家達はずらりと並んで観光客に似顔絵をかかないかと声をかけています。日本人も韓国人もいて、それぞれの母国語でよびかけてくるのです。

ルーヴル美術館からシテ島。ノートルダム寺院ではらせん状の石段を上り、塔の上でガーゴイル（石の怪獣）に触り、バスティーユ広場へ。左岸ではブルボン宮からサン・ジェルマン・デ・プレ教会、リュクサンブール公園、そしてモンパルナスへ。

歩いていると道路脇《わき》の壁や店の表に張ってあるプラーク（金属の飾り板）が目につき、読んでみると近代西洋史に出てきた人々の名前が刻まれていて、いつの間にか自分がその時代に巻き込まれていく気分です。カフェ・プロコープの入口にはマラーやダントン、

威容を誇るホテル・クリヨン

ロベスピエールが革命の会議をしたと書かれていました。入ってみると、若い人たちがもうもうとした煙草《たばこ》の煙の中で議論をしたり、キスしたりしていましたが、そこにはボルテールの使った机があり、ルソー、バルザック、ユーゴーも来たと書かれています。もう一度勉強をし直さねば、などと反省しつつ、さらに歩き続けたのですが、街並みも映画で見たり聞かされたりで、未知の都という気がしなかったのです。

やがて日本もリッチになり、私の取材もそれに応じて、ホテルもレストランも一流と名のつく所はほとんど経験してみました。ホテルで満足したのはクリヨンとリッツです。共にロケイションがよく部屋もきれいで、ロビーは小さくて混んでいず、装飾も豪華だし、中庭は静かで美しいのです。

クリヨンはコンコルド広場に面し場所としても眺めとしても抜群ですが、建物にも歴史が数々あります。コンコルド広場は一七五五年にルイ一五世の命令で計画設計され、クリヨンの正面も王の命令で建てられたそのままの姿なのです。現在の建物は一七七五年、日本では徳川吉宗《よしむね》の孫の家治《いえはる》の時代に建ったもので国の歴史的建物と指定されています。フランス革命の前年にクリヨン公爵家《こうしゃくけ》がここを買い私邸としていましたが、一九〇七年に手放し、新所有者はデラックスなホテルに改造したのです。第一次大戦後の一九一九年、国際連盟（国連の前身）を創立する会議がこのホテルの「鷲《わし》の間」で行われ、日本から珍田子爵、牧野男爵が出席したと大理

ホテル・クリヨンのウェイター

石のプラークに刻まれてあります。第一次、第二次の両大戦中も連合軍の司令官の宿舎になりました。ある部屋の壁にかかった大きな油絵に一九四四年に撃ちこまれた弾丸の跡がありましたが、今はとりはずされました。昭和天皇も三階にお泊まりになりました。

窓から外を眺めると森のように木々が遠くまでみえ、そこにすっと青空にそびえ立つエッフェル塔、そして木々の梢《こずえ》の間にひかえめにグラン・パレの屋根がみえます。美しい計画都市です。でもふと目をコンコルドに落とすと、ホテルに近い片隅がかつてマリー・アントワネットの首をはねたギロティンがあったところだとか。歴史とは血と栄光をおりまぜたもの、なんて窓の外を見ているだけでひしひしと感じさせてくれるのがパリでしょうか。

このホテル近くに住んでいる古い友人で、かつてケネディ大統領の秘書官をしていたサリンジャー夫妻を、個室をとってランチにお招きしました。

まずはテタンジェのシャンパンで始めました。私の好きなシャンパンのひとつです。細かくて優しく、それでいて力強い泡がシャンパン・グラスを昇っていきます。そしてオードヴルのテリーヌがすむと、メインは仔羊《こひつじ》のローストで、ワインはメドックのシャトーシャルメー。続いて出されたのがチーズで、カマンベールとロックフォールとエメンタール。羊乳から作られたロックフォールは、ワインとぴったり溶け合うのです。デザートはさすがフランス、さすが一流ホテルの作品でした。

ホテル・リッツの玄関

食事もさることながら、この場のアテンドはスペイン人のウェイターでしたが、サーヴィスの仕種《しぐさ》が何ともきれいなのです。立ち方、腕の伸ばし方、間の取り方が一流のプロを感じさせるのです。チップに一〇〇ドル（撮影をしたので彼にいろいろ面倒をかけたからです）を渡すと、その受け取り方も一流でした。感謝の表情を浮かべ、直立して首をかしげ、「メルシー・マダム」と心の底からのようにお礼を言う。実に上手なのです。渡した私の方が気分が良くなってしまいました。

一方、リッツはそもそもスイス生まれの創立者の名ですが、英語で“TO GO ON THE RITZ”と言うと、エレガントにドレス・アップして、という表現になるほどリッツは「エレガントで豪華」、という代名詞にさえなっているホテルなのです。

パリのリッツも、元フランス貴族の邸《やしき》だったのを、一九世紀末にホテルにしました。中庭はルイ一四世様式で、こぢんまりとしています。夕方頃、外出から戻ってきてここでお茶とケーキを前にすると、心から落ち着いてしまいます。パリの街の騒音は聞こえず、空をさえぎる建物も見えないのです。

一九八八年から地下にはローマ調デザインの、贅《ぜい》を尽くしたプールがあり、私が行ったときは、ほとんどいつも独り占めで、ローマのプリンセスになった気分です。ジャクジーもサウナもあり、宿泊客とメンバーしか入れないのですが、サウナではヴィーナスのように美しい姿のフランス女性を見かけました。午前中からサウナとは、どんな生活をしている人でしょうか。きっと昨夜、食べ過ぎたに違いありません。

リッツの前はヴァンドーム広場で、お向かいの建物には「ショパンが一八四九年一〇月一七日ここで死す」というプラークが張ってありました。思わず愛人ジョルジュ・サンドの冷たい顔とやつれたショパンの哀れさ、という自分勝手なイメイジが、そこに浮かんできてしまいました。これがパリの不思議なところで、クリエイティブな細胞を刺激してくれるのです。

我がパリの食物史も、世の移り変わりと共に変化していきました。一九五〇～六〇年代に一〇〇円で食べたサラミ・サンドウィッチは、本当に美味しかった。後年、あの味を求めて食べてみたものの、何か一味違うのです。床が傾いていたホテルに泊まっていたとき、同じホテルに泊まっていたアメリカ人の医学生が、夜中にレ・アルへ、オニオン・グラタン・スープを食べに行こうと、バイクに乗せて連れていってくれたことがありました。まだレ・アルがパリの中心部にあり、夜中の大通りをバイクでとばしたのです。味は覚えていないくらいだから、大したことはなかったのですが、楽しさだけが思い出に残りました。そういえば、あの医学生の名前も覚えていませんが、彼もまた若き日にバイクでレ・アルに行った夜が語り種《ぐさ》になっているかもしれません。

モンマルトルでは、古めかしいレストランに入ってみました。中年のマダムがにっこりと迎えてくれ、家庭料理のようなものを出してくれたのはいいのですが、ここで驚いたのはトイレです。床いっぱいに四角い浅い陶がはめ込んであり、上から吊《つ》り下がっている紐《ひも》を引っ張ったら、いきなり大水が流れ出てきて、私は飛び上がってしまいました。まさに足の踏み場もないとはこのことだったのです。

パリの中には大都会と田舎があると聞いていましたが、レストランのトイレが近代化されていないのは大発見でした。数年後、懐《なつ》かしくて再び訪れたら、店は満員、マダムは無愛想になり、その後さらに再び訪れたときは、マダムはすっかり老婆《ろうば》になっていて、雰囲気も味もなくなっていました。このメゾンの二階にユトリロが住んでいたというのも後年、知りました。

シャンソンの『枯れ葉』の曲が、肌に染《し》み込んで来るような季節になると、パリの食事は美味しくなってきます。まずは牡蠣《かき》です。夕暮れどきに、コートの襟《えり》を立ててスタンドで生牡蠣とシャブリをひっかけるのがパリの味、なんて聞かされていたからには、ぜひとも試さなくてはなりませんでした。

レストランの軒先に設けられた屋台には牡蠣、蛤《はまぐり》、あさり、海胆《うに》が新鮮そのもので並び、脇に、寒さか酒のためか、鼻の頭を真っ赤にしたエカイエ（牡蠣売り男）が、にこりともしないでゴムエプロンをして立っています。私はどこの国でも、こういう所で立って

生牡蠣は冬のパリの楽しみ

見ているだけで、「食べなさい」なんて差し出され、ただで味わったものなのに、パリのエカイエから言われたことはただの一度もないのです。ケチめ！

三〇年前、銀皿に一ダースほど並べた牡蠣は、四千円くらいしたものです。でも清水《きよみず》の舞台から飛び降りる気分で食べてみたのです。その美味しかったこと！　潮の味が強く、冷たく、若々しい弾力！　白ワインのシャブリが、それをなだめるように舌を洗う。私は満足しました。大枚を使ったその日は夕食は抜きでしたが、悔いはありませんでした。

先年の冬の夜、牡蠣を思う存分食べようとクリシー広場に出かけました。牡蠣のシーズンで大賑《おおにぎ》わいのレストランに入り、ようやく席をもらいました。パリの食事が美味しいのは味もですが、この雰囲気が食欲をもりたてるのです。客席は満員でどこも話に夢中です。料理にワインと会話がなければ食事ではない。私は好きな貝類を好きなだけ注文し、銀皿いっぱいに載せて来てもらいました。これが約八千円。しかし、どうも味がかんばしくないのです。連れのふたりも食べ直しに賛成したので、他の店でやり直しです。こちらは先の店より美味しかったけれど、さすがに食べ切れませんでした。

帰り道、あいかわらず賑やかなピガール広場を通りました。ここは、かつて血を流したアルジェリアの男が走って逃げて行くのに目を見張り、酔ってご機嫌の黒い肌の娼婦《しょうふ》に飲み物をおごってもらって、恐縮の極みだった思い出の場所です。あのときスタッフの男たちはあやしげな写真をチラッと見せられ目を丸くしましたが、満面笑みを浮かべていたっけ……。

こうして、オジ様連中から聞いていた若き日のパリ、お金がなくても楽しいパリを、私も十分経験させてもらいました。


冬の日の公園で、日だまりのベンチに一人で座っていた品のいい老婦人と何となく会話をしてみました。

「パリは若い人には希望とエネルギーを与え、円熟した人にはそれなりに美味しい食事、オペラ、コンサートがあります。私のように老いたら、住まいからぶらりと出て、こういう落ち着いた場所でのんびりしたり、美術館に歩いて行けたりする都なのです。私はパリが大好き」

こういう彼女はポルトガル人でした。

パリの女性警察署長と著者

MARRAKECH
マラケシュ　モロッコ

　モロッコは若い日本人女性が、なぜか行ってみたいと思う国のようです。モロッコという響きがエキゾティシズムをかもし出し、夢を誘うのでしょうか。私の母もモロッコに憧《あこが》れていました。彼女の場合は、ディートリッヒとゲーリー・クーパーの『モロッコ』を見て感激したのです。ただし、美男美女と恋とエキゾティシズムがモロッコであって、実際のモロッコの国がどこにあって、どんな人たちが住み、何が宗教だなんて全く考えてもいなかったでしょう。
　第二次大戦後は『カサブランカ』の影響が大です。これも渋いハンフリー・ボガートと美女イングリッド・バーグマンが舞台にした所がモロッコというのが、何とも心をくすぐったのです。大スターの演ずる激しい恋物語は、世界に強烈な印象を残したのですから。ハリウッド映画とは、実にすごい力をもった情報産業です。かく申す私も、モロッコの名を覚えたのは映画『モロッコ』のように思います。

日本からマラケシュに行くにはパリかロンドン経由で、そこから直通の便があります。ロンドンやパリでヨーロッパ文化をばっちり目の中に焼きこんでマラケシュにくると、エキゾティック！ という言葉が形になってあらわれた思いがするのです。異国、異文化へ旅してきた満足感がとびこんできます。

モロッコへ行ったらあの『カサブランカ』の地を見なくては、という方は別として、カサブランカは期待はずれですからその時間を別の所に使うことをおすすめします。まして やカサブランカからマラケシュへのドライヴは二三八キロですが、私は取材上、何遍か通りましたがまったく面白みもなくこれも時間の不経済です。カサブランカ、又は首都のラバトからマラケシュまで、飛行機で四五分ですから断然こちらがお得です。

アフリカと言ってもモロッコは九州辺りの緯度です。最北は三六度近くで東京と同じですが、北部にある首都ラバトは北九州市門司《もじ》区、カサブランカが福岡市、マラケシュが宮崎市、サハラの西の入口の町リサニが鹿児島の佐多岬、南の国境はサハラ砂漠でまだ紛争中で確定できません。ですから四季に恵まれ、寒い時も暑い時もありますが、一番気候的にもいい時は春、三月でしょうか。ヴィーナスは海の貝から生まれたといいますが、新芽の緑が青い空に輝いているのを見ると地球の生命の誕生のようで、そんな所で生まれたての仔羊《こひつじ》を見ると、バイブルの世界に引き戻された気がします。おっと、モロッコはイスラム教の国ですが……。

先住民はベルベル人で国の歴史は古く、ローマ人も大きな街を造り、今は立派な遺跡となって見られます。七世紀にアラブ人が侵入してきて、今も両人種が大多数を占める国です。八世紀にイベリア半島（今のスペイン、ポルトガル）を攻略し、九世紀初頭には古都フェズが建設されました。歴史と文化のこの町もモロッコの宝石の一つです。

一一世紀にはイベリア半島を支配するほどの勢力となり、後に首都となったマラケシュにイベリア文化が流れこんできました。王朝もいろいろと変わります。一二世紀にはムアッヒド王朝が今も見られるクトゥビア・モスクの高さ約七〇メートルの塔を建てましたが、スペインのセビリアにある同じようなヒラルダの塔も同じ一二世紀にこの王朝が建てたものです。イベリアにおける勢力は崩壊しましたが、北アフリカ本土ではイスラム国家として続きました。一九世紀になってヨーロッパの列強が手をのばし始め、スペインが侵略、二〇世紀にはフランスが侵略してきました。ドイツもイギリスもちょっかいを出しましたが、ついにフランスが当時のサルタン（王みたいな存在）と保護領協定を結び、モロッコはフランスとスペインに分割されたのです。

オールド映画ファンは随喜の涙を流すような映画『外人部隊』『モロッコ』などは、この両国に抵抗するモロッコ人の鎮圧が背景なのです。砂漠を馬で疾走し、まとった衣をひるがえしてむかってくる勇敢なモロッコ男児の姿は、今もファンタジアといって、長い銃を片手に、飾りつけた馬を走らせてくる彼等の最高の男の大見栄《おおみえ》のスポーツで、祝いごとや祭りにお供を引き連れやってきて披露してくれます。そんな時はまた、各地方、各種族の踊りも見られ、モロッコは踊りの宝庫でもあります。

外国人にとって、マラケシュはモロッコの縮図といえます。豪華にして繊細なサラセン建築や工芸、庶民のむんむんする活気のエキゾティシズムがそろっているのです。まず見物する所は、ジェマ・エル・フナ広場。夕暮れになってくると続々と人が集まり、さしもの広い広場も人で埋めつくされます。たくさんの大道芸人のパフォーマンス。それを取り巻く人たちの輪があちこちにできますが、ほとんど毎日同じようなパフォーマンスであり、来る人たちも地元の人だと思うのに、いつも黒山の人だかりです。

地面に座り込んで物語を聞かせる老人、占いを真剣にみてもらっているベルベルの女、それを聞こうと全身を耳にしている野次馬。自転車のタイヤ一本を持ってキョロキョロしている男、しゃがみこんでスープを売っている女、少年が飛び上がって頭をぐるぐる回し、帽子の房を回転させるのは名物のマラケシュ踊りです。三〇年前に見たあの少年の首はその後、どうなったかしら。

へび使いもいます。コブラをつかんで、顔の前に持ってきてお見合いです。へびが嫌だと言っているのがみえみえでした。時にはコブラが籠《かご》から抜け出てきて、見物人は悲鳴をあげて逃げたりしますが、どうもこれもパフォーマンスのうちらしい。アクロバットも汗だくで演じられています。

歩き疲れたら広場に面したカフェの屋上か、フランス風にサイド・カフェでミント・ティーなどを飲みながら、庶民のエネルギーをゆっくり観察するのです。この広場の名の意味はアラビア語で「死人の集まり」。こんなに活気があるのに、と思ったら、昔、ある残酷な支配者が毎週、反乱者を処刑してその首を並べ「謀反《むほん》を起こすとこのようになるぞよ」と民に知らしめた所だそうです。それにしても、よく毎週並べるほど謀反者がいたものです。

広場からスーク（市場）に入っていくと、イスラム社会特有の職人の仕事ぶりが見られます。銅製品の叩《たた》き出し、籠編み、木細工、楽器作り等々。私が欲しかったのは、大きな円錐形《えんすいけい》の蓋《ふた》の付いたパン入れでした。

一般家庭用は、わらを編んでトップに赤い布などを張った可愛《かわい》らしいものですが、高

ジェマ・エル・フナ広場

級品は銀製です。蓋だけで四〇センチくらいの高さがありますが、これは全く装飾部分で、パンは器だけに収まるのです。
　中近東、アフリカなどの買い物は、値段のかけひきをするのが当たり前で、かけひきを教わったのもモロッコでした。レストランに入って来た物売りが、二メートル近いファンタジアに使う銃を持って来たので、私は買わないという意味で半値を言ったら、何と即座にOKになったのです。隣席の英国人が大笑いをして、「バーゲンは三分の一の値から始めるのです」と教えてくれたのですが、半値を言うときですら常軌を逸した気分ですもの、とてもできるワザではないと思ったものです。

かけひきでは、買いたくてもその素振りは微塵《みじん》だに見せてはなりません。商人に見抜かれたら、こちらの負けです。真剣勝負なのです。私は買いたいものは不思議に見破られるので、彼らの眼力は偉大なものと思っていましたら、後日、買い物をしている私を映したフィルムを見て愕然《がくぜん》としてしまいました。子供が見ても明白なほど全身硬直し、欲しくてたまらない真剣な顔つきでパン入れの前に立っていたのです。

とにかく、何遍かモロッコに行くうちに、遂《つい》に、信頼できる公務員に信頼できるという銀製品店につれていかれ、念願の銀製のパン入れを言い値で買うはめになってしまいました。ところが私が払った現金を、何とこの公務員は商人から幾らか手渡され、何かわあわあ言うと更に何枚かの札を受け取ってポケットに入れるではありませんか。

やられた！　私は呆然《ぼうぜん》として、それを見ていましたが、我に返った途端、これがどの程度の銀なのか疑わしくなってしまいました。でも、これでもう欲しいものは手に入れたのだから、むずむずしなくなって落ち着けたと思えばあきらめようもある、というものです。本当はミント・ティーのセットも欲しかったのですが、細工がお粗末なうえ、えらく高価なので二の足を踏んでいたので少しは慰めになりました。

ミント・ティーはモロッコで、なくてはならぬドリンクです。自宅、パーティー、レストラン、どこでもミント・ティーは必ず出されます。ミントははっかのことで、新鮮なその葉一つかみと、一握りの砂糖、一つまみの緑茶の葉をポットに入れ熱湯を注ぎ、これをガラスのコップに注いで何杯も飲みます。セットはミント入れ、砂糖つぼ、茶つぼ、ポットの四品の他、それを置く足つきの低いテーブルと、湯沸かしのサモワールがつくと断然エキゾティック文化の姿になるのです。お茶を飲むだけでも、このように美を追求する器があるのですから、サラセンの文化は素晴らしい。

スークにはレディ・メイドのカフタンも売っていました。モロッコ女性の衣装で長袖《ながそで》、かかとまでのロングのゆったりしたドレスです。化繊もので数千円程度ですが、シースルーで総刺繡《ししゆう》もの、ギンギラギンのラメ調、無地、縦じま、といろいろあります。

ところが同行の公務員氏（先の人とは違う）は、妻のは夫が選ぶのだと言い、妻でもない私の着るものなのに、グッドとかノーグッドとか言いながら真剣に選び、結局私は彼の言いなりのカフタンを買いました。私は取材中は現地の衣装を着ることにしていますから、現地の人がいいというもので結構なのです。

外出するときは、ジャラバというロングでフード付きのコートを着ます。これが便利で、下に何を着ていてもOKで、ミニなど着ているモダン・ガールも、外出はこれでカバーしているので世間を騒がせません。いくら食べてもウエストもお腹《なか》のふくらみも気にならずにすむし、カメラもジャラバ内にぶら下げていれば人に気づかれずにいられ、取材にはこのうえなく便利な衣装でした。

マラケシュで、私はゲスト・ハウスと呼ばれる金持ちの邸《やしき》に滞在しました。三人の男性召使付きで、住人は私とスタッフだけ。我が邸は厚い白壁に囲まれ、入口は鉄鋲《かなびょう》の飾りの付いた大きな厚い木の扉です。鉄のドア・ノッカーをおもむろに叩くと、召使が開けてくれますが、ドアを入るときに高い敷居があり、入っても真《ま》っ直《す》ぐには家の中に入れません。正面に壁があるので右に曲がり、また左に曲がり、突き当たりに左右の廊下があるのです。左に行くと吹き抜けの中庭がありました。この迷路的構造は、不法侵入者を惑わすためです。そんな物騒な理由はともかく、手が込んでいて美的です。中庭には中央にタイル張りの噴水があり、四方は小さな部屋のようなベランダが取り巻いていました。

二階に行くと広い居間があり、壁に沿って低いソファが備えられ、その前に銀のティー・セットが手あみレースの布でカバーされて置いてありました。サモワールに火も入っていて、お湯はいつでも茶をいれられる状態です。一階のキッチンに行くと、三人の男が夕食を作っていました。クスクスとタジーンです。

クスクスはパン粉のような細かいパスタで、それを蒸して大皿に盛り、チキンと野菜の煮たのを汁ごと上からかけ、それを混ぜて食べるのです。タジーンは茶色の厚い陶の器のことで、野菜や肉をこの中で煮る料理です。言うなれば土鍋《どなべ》料理みたいなもの。お袋の味的な料理です。これも蓋が円錐形になっていて、異国ムードがあります。

居間の――と私は呼ぶが、あちらでは部屋に名はないそうです――低いテーブルに料理が並び、私と招待したガイドは、厚い座布団《ざぶとん》みたいなものにすわって食べました。ガイド氏はクスクスの大皿に指を突っ込んでしゃくい出し、口に持っていきました。私も真似《まね》ました。指で食べて美味《おい》しいものもありますが、クスクスはパラパラなうえに汁がかかっているのですから、スプーンを使ったほうが食べいい。食べいい、即《すなわ》ちそのほうが味もベターということです。タジーンは骨付きチキンの煮込みでした。絢爛《けんらん》なカフタンを着て姫君をきどった私も、手づかみでチキンを口に運びました。

食事が終わる頃になると召使が水の入った銀のやかんと水受けを持って来て、私の指先を洗わせます。うむ、ティー・セットの他にこの二つも次回の買い物目標だ、と内心誓ったのです。

厚い壁が屋敷を囲い、邸内の壁も厚いので、外の音は全く聞こえず静寂であり、プライヴァシーへの配慮が心を和《なご》ませます。男の召使も足音をたてずに歩くのです。住み方、マナーに文化と歴史が感じられました。


マラケシュでハッサン二世国王（一九六一年即位、九九年没）の即位二五周年記念日の

数々の料理が並ぶティー・パーティー

行事が行われました。首都はラバトですが、毎年異なる都で行事を行うのです。何でも東京中心の我が国とは大違い。王は国民に大いに気を遣っているのです。王に初めてお会いしたのは、王が即位後三年足らずの、三四歳のときでした。フランスのリヨン大学留学経験もあり、瀟洒《しょうしゃ》に背広を着こなし、エレガントでモダンな王でした。客人のフランスの大臣が乗る車のドアをいとも自然に開けて乗せ、見送った姿もスマートでした。

今回の王はモロッコ衣装のジャラバに身を包み、顔も苦労の年月が刻み込まれていました。無理もない。あれから二度も暗殺未遂が起きているのです。当時の皇太子（モハメッド六世、現国王）は姿勢がよく、七歳下の弟君はいつも兄の後に従っていましたが、これも見ている目には美的です。

野外での大パーティーは、国民の各種族の踊りがあちこちに展開され、ＶＩＰのテント内にはメシュイ（羊の丸焼き）とチキン・パイが出されました。モロッコは短期間ながらフランスとスペインに支配され、両国の料理法が贅《ぜい》を尽くしたサラセンの料理に交わり、羊の丸焼きといっても、シンプルな味ではありません。羊にバターを塗って土窯《どがま》で焼き、できあがりは皮はパリッとしていて肉はジューシーに仕上げる。それも熱いうちに食べさせるべく、走ってＶＩＰのテントに運んでくるのです。

　ＶＩＰを招いてのティー・パーティーも王宮で催されました。赤い帽子にモロッコ衣装の黒人の茶の係が、ミント・ティー・セットの前に座り、ひっきりなしに茶をいれます。ここはイスラム国家なので酒類は出ず、飲み物は茶、ジュース、白いアーモンド・ミルク。テーブルにずらりと並んでいるのはパイ、タルト、ケーキ等のお菓子、うずたかく盛られたフルーツの各種に砂糖漬けやドライ・フルーツ、アーモンドや胡桃《くるみ》等のナッツ類、等々です。

　そして夕方は、王宮にご婦人を招いたパーティーが開かれました。モロッコ女性は全

王宮の衛兵と著者

員、カフタン姿です。彼女たちのカフタンを最初に見ていたら、スークのカフタンなどとても買う気になりませんでした。しなやかな絹といい、色、織り、それぞれが高貴さをただよわせているのです。聞くところによると、布地を織らせるところから始めるので一カ月以上、あるいは半年も前に注文するし、値も数十万円もするのだそうです。身に付けている宝石もすごい。大きいのです。ネックレスも重そうなくらい、何重にも重なったものを付けていました。外国婦人のイブニング姿もありましたが、全く映えていません。

王宮の幾部屋かが開放され、婦人たちがそこかしこで談笑していましたが、全く女ばかり。初めに王は客をむかえるため挨拶《あいさつ》に立っていたけれど、いつの間にかいなくなってしまいました。モロッコはイスラムの国です。フランス留学経験のある王といえども、女性が家族以外の男性と同席しないイスラムの掟《おきて》は尊重しなくてはなりません。

絢爛の宴が終わっても、マラケシュは相変わらず人々の熱気にあふれていました。「白い家」のカサブランカに対し、「褐色の街」マラケシュ。オリーブ園やオレンジ、ヤシの並木の南国のムードに身を置きながら、雪を頂いたアトラス山脈もそこに見られます。マラケシュはやはり、モロッコの縮図です。そして雪のアトラスをこえて南下すると土の城砦《じようさい》の並ぶカスバ街道があり、素朴な人たちとの出会いがそこにあるのです。

SALVADOR
サルバドル
ブラジル

ブラジルといえばカーニヴァルで有名なリオデジャネイロがあまりにも有名ですが、私にとってブラジルを五感に感じるのは古都バイヤです。バイヤはリオからジェットで二時間、現在の名はサルバドルなのですが、なぜかこの街にはバイヤという名前の方が似合うのです。

暑さと湿気、ムンムンする肌の黒い人たちの群れ、ごみだらけの地面、やし油の匂《にお》い、雑踏の音、それらが古いポルトガルの街並みと雑居している街。湿気で汚れていて、塗り直したらどんなに美しい家々かと思う、黄、ピンク、ブルー、パステル・グリーンな

奴隷市の跡の広場

どのよき時代の建物が石畳の坂道に並び、肌の黒い子供たちがちぎれたスカートをひるがえして遊び回っているのに、貧しさや哀れさは微塵《みじん》も見られません。バイヤなればこそなのです。

　ポルトガル風の古都なのに明るい黒人が住人で全く違和感がないのは、四〇〇年前のバイヤ誕生と共に共存しているからでしょう。バイヤはブラジル最初の首都であり、初めてアフリカ人奴隷《どれい》が連れてこられたのもこの街で、建設にも従事したのです。年月と歴史は、どんなテクニックを用いても及ばぬ魅力を作りだすのです。

　私が初めてバイヤに行ったのは一九六一年。当時はそんなに肌の黒い人たちを意識しませんでした。アテンドした人も紹介された人も、肌の色は白っぽい方だったし、バイヤは美人の産地といわれ、ミス・ブラジルにも会いましたが、勝手な推測で言わせてもらうなら、彼女も八分の一ぐらいは黒人といった感じの人でした。当時の美女は当時の基準なので、今のようなスタイル美人ではなく、それに、「ミス」を意識してか、座れば足のそろえ方、立てばポーズといった風に気の毒なくらい型通りで、個性を失っていました。

美女と言ってもこれは各自の好みの問題ですが、私の独断と偏見で言うなら、肌の黒い人の方が断然スタイルがよく、ムラート（黒人とヨーロッパ人との混血）の顔だちはエキゾティックで、私たちがいかに科学や化粧の力を借りてもああはなれないと絶望の極みにおいやられます。それに加えてブラジルの肌の黒い人たちの場合は、あけっぴろげな明るさが、持って生まれた美と魅力を倍増させているのです。

街の上下を結ぶエレヴェイター

今回の旅では、前よりもはるかに肌の黒い人が多く感じられました。白人の数は人口の一〇パーセントぐらいだそうで、あまり目立たないせいもありますが、混血も増えているのでしょう。

一九六一年当時は、人口は六〇万人と聞いていましたが、今は一八〇万人だそうです。そのまま信ずるなら、三〇年足らずで三倍という増え方ですが。何しろ数字というのは言う人、書く人によってまちまちなのです。

バイヤにいると毎日を元気で楽しく過ごせればいいのであって、生活に関係ない数字などいちいち気にする方がおかしいのかもしれない、という気になってきます。

サルバドルの街には、上の街と下の街があり、下の街は海に沿って広がり、上の街は高台で、有料エレヴェイターで昇ることもできます。七〇メートルぐらいをあっというまに昇り、一九六一年は一円でした！　二七人乗りで、いつも満員。エレヴェイターの役割は上・下の行き来のみで、外の景色を見ながら行くなどというぜいたくな作りではありません。

下の街は商業の街で、海岸通りに雑然、雑多、雑踏そのもののサン・ジュアンキン・マーケットがあります。熱帯の地の絶対のメリットは、食物が豊富なことで、マーケットにはフルーツや野菜が山と積まれていますが、地上にも足の踏み場もないほど落ちているのです。

拾うだけで十分、その日の需要に足りると思うのですが、どんなにみすぼらしい人も、地上のものを拾ってはいません。値も安く、人参《にんじん》、ピーマンなどがひと山五円とか七円。卵も一個五円です。人間の騒々しさと対照的に、観念してじっとしている生きたハムスター、鳩《はと》、七面鳥、山羊《やぎ》などもいます。人間の歩くスペースもないのに、トラックが乗り入れて来るのも不思議な光景でした。

キョロキョロしている私の目の前にパッと突き出されたのは、手のひらに乗っているピグミー・マーモセット（キヌザル）。餌《えさ》はバナナだけでいいのだから、ペットに買えと言うのです。欲しいけれど、日本に連れて帰れない。マーモセットは大きなあどけない目で「ママ、ボクどうなるの」と語りかけています。

思わず「いくら？」ときくと、一クルザードと言うではありませんか。何と十円です。私は叫び声をあげてしまいました。すると途端に周り中の人がワーワー言い始め、彼は急に千クルザードと言い、私がノーと言うと、百クルザードになったのです。言っている彼も何だかわからない表情で、笑いながらも困り果てているのです。

この謎《なぞ》は、実はデノミが原因でした。政府が最近、ゼロを三つ取ったのです。例えば、元千が今は一というわけです。彼は多分以前は一万で売っていたので、ゼロを三つ取った数字がとっさに出てこなかったのでしょう。何しろお札は、ゼロがたくさんついた元のままのを使っているのだから、無理もありません。

ブラジルのインフレは、いつ行っても並大抵ではありませんでした。一九六一年に、ホテルの玄関前に立っていた闇《やみ》ドル氏の言い値は、私がホテルのランチに戻ってきた食前より、食後に出てきたときには三〇パーセントもドル高だったのです。今回も、ホテルのエレヴェイター内のボーイの言い値が、昇った時と降りる時では一〇パーセントもドル高になっていました。お金に関しては、常に新情報を持った方がベターです。貨幣単位名まで変わるのですから。クルザードからクルゼイロ、そして今はレアルなのです。

今だから告白しますが、〝闇ドル・チェンジ〟の役は私でした。世界の経済などの机上の空論は男に任せても、現実のやりくりは女の仕事。当地では教会がずらりと並んだ広場にお棺屋があり、その前にいいレイトで交換する闇ドル氏がいてよく通ったものです。辺りを見回すと気が引けたものでしたが。

雑踏から抜け道に出ると、みかん売りの黒人が休んでいました。私と目があうと大きな手にみかんを載せて差し出してくれました。ありがとうと言うと、彼は網袋に入っていたみかんを、全部外に投げ出してその袋を敷き、ここにどうぞ、と私を座らせてくれたのです。

今日の売れ行きは？　ときくと、あまり売れなかったと言いながらも、暗い顔はない。ではこのみかんを買いましょうかときくと、もし貴女《あなた》が欲しいなら、とけろっとしている。もらった分はいくら？　ときくと、おなかを抱えて笑いだしたのです。

親切もイコール、マネーで相殺《そうさい》しましょうという、卑《いや》しくあさましい根性を笑われたようで、我と我が身に嫌悪感《けんおかん》を感じてしまいました。

彼らの気前のよさには、再三どぎまぎさせられました。路上でジャーと紙コップを持っている少年を見ていたら、側《そば》にいた男がこれはコーヒーだと説明してくれ、一杯一〇円とはいえ買ってくれまでしたし、大きな道具を使ってプレスしたさとうきびのジュースの売り子の少年も、側にいただけの私にも差し出してくれました。もちろん、無料です。飲みきれないほどたくさんの量でしたが、親切を無にしてはいけないと、無理して飲んだら、もう一杯？　ときかれてしまいました。食べかけのアイスクリームを、私に差し出してくれた小さな坊やもいました。

路上で七輪の前に座り込んで、やし油でスナックを揚げているおばさんには、ちゃんとお金を払って買って食べました。揚げていたのはアカラジェといって、海老《えび》やピメンタ（唐辛子の一種）の入った豆の粉の丸いコロッケみたいなもので、安くて美味《おい》しいのです。おばさんの着ているのはバイヤ衣装です。

バイヤ料理店で、民族衣装の店員と著者

髪をターバンで巻き、大きく開いた襟《えり》ぐりにレースのフリルのついた白のブラウスと、同じく白のレースのギャザーをたっぷりとったロングスカートをはき、ウエストはカラフルな長いリボンで締めます。ネックレスはヴァラエティに富んだ素材や色のものを、幾重にもかけるのが正装です。

かつて衣装を付けていなかった南国の女たちに、だぶだぶの衣装を着せたのは、宣教師です。着ることが文明という観念の他に、ヨーロッパの男たちの目には、はなはだ誘惑的だったのが問題でした。特にバイヤでは美しい容姿の黒人奴隷に、ポルトガル婦人の嫉妬《しっと》も加わったのです。しかしこの衣装は、世界のだぶだぶ衣装のなかでは最も美的なうちのひとつで、今はバイヤの名物にさえなっています。

「何とかに鶴《つる》」というと差別用語かセクハラになってしまいますが、雑踏雑多な所に白《しら》鷺《さぎ》のように目立つのです。しかし鳥のようにほっそりとしていては似合いません。でっぷり、デーンとしていてこそ、サマになるのがバイヤ衣装。私も現地では現地ドレス着用主義なので、これを着て歩いたものの、こういうおばさんの前では貫禄《かんろく》負けでありました。

サルバドルは信仰の街でもあります。本により、人によりその数は異なりますが、三六五の教会があるという説もあります。毎日曜にひとつずつ訪れても、約七年もかかります。では敬虔《けいけん》なるカトリック教徒ばかりかというと、そうではありません。サルバドルでは黒人の宗教、カンドンブレも盛んなのです。

アフリカから連れてこられた人たちは、ブラジルではカトリックのポルトガル人に彼らの宗教を禁じられ、キリスト教信者にさせられましたが、彼ら独自の神々にキリスト教聖人の名をつけて、キリスト教もどきにさせた自分たちの宗教を信仰し続けてきたのです。

一九六一年に訪れたときは、その宗教儀式で写真を撮るなどはもっての外、私たちスタッフは入ることも許されませんでした。その理由は、日本人だから怪しいというのです。科学がまるで宇宙人のように発達していると思われていた日本人は、服のボタンにカメラが付いていて、他人が気がつかないように撮影してしまうから、と頑固に拒絶されてしまったのです。

有り難いようであり、買いかぶられたような迷惑な誤解でしたが、何としても見るだけでもと思い、日本人と言わないで儀式に紛れこんだのです。夜でした。

祭事のリーダーの男の家の庭の大木には、鶏の血がおどろおどろしくこびりつき、白い羽が血まみれで散らばっていました。集まっているのは全部黒人。リーダーは頭にきらきら光る色紙をたくさんぶら下げた鉢巻きをし、黒い身体《からだ》に白絵の具を所狭しとまだらに塗りたくり、ギンギラの紙を腰みの風に何重にも下げていました。太鼓は激しく鳴りっぱなしです。

リーダーの身体は精霊が乗り移ったごとく、リズムと共に動いていましたが、目は正常で、右と左に動き人々の状態を観察していました。信者たちはけばけばしい衣装でぐるぐる回ったり、腰を折って両手をだらりと下げ、ゆらゆら揺れています。

やがて一室に集まり、さらに太鼓が大きく激しく鳴り渡っているとき、私の前で見物していた若い白人の女の肩が激しく動き始めたのです。彼女は必死になって両手で肩を抱きおさえようとしましたが、動きは止まらない。顔は赤くなり、下を向いて悲痛な面持ちです。周りの人も気づき、彼女に注目し始めました。

その時、私をここに潜り込ませてくれたアテンダントが、緊張した面持ちで私を外に連れ出してしまいました。後日、カンドンブレに詳しい黒人にこの話をしたら、その白人女性には黒人の血が流れていたからだといっていました。幸せな女だ、と彼はつけ加えました。

次に訪れた時は撮影ＯＫということで、サルバドル郊外の儀式を訪ねました。この日の主役は若い自動車整備工で、狩りの神になるため、一カ月も人里離れた所で精進してきたのです。頭髪はそり落とし、上半身にブルーの輪をいくつも描き、ギラギラの色のパンツをはき、腰を折って両手をだらりとしたまま、外の信者に誘導されて儀式の場に入ってきました。

彼は儀式中四回も衣装を替えました。集まっている信者たちのなかには、一八世紀フランス宮廷黒人版といったように、ふっくらスカートに頭からキンキラしたものを飾りつけている人もいました。全員女です。

太鼓が鳴り響き、外は豪雨で、音と湿気で神経は大いにマヒして、熱気が高まってきました。群衆のなかにも、神が乗り移った女が続出します。すると、この儀式を取り仕切っているゴッドマザーの前にひざまずいて、彼女の両手で肩を押しつけてもらうのです。不思議に肩の震えが止まります。神々になりたくて衣装を着込んだ女たちは、失神するまで踊り続けていました。

彼女たちは願いや悩みがあって、この日、神に乗り移ってもらい、

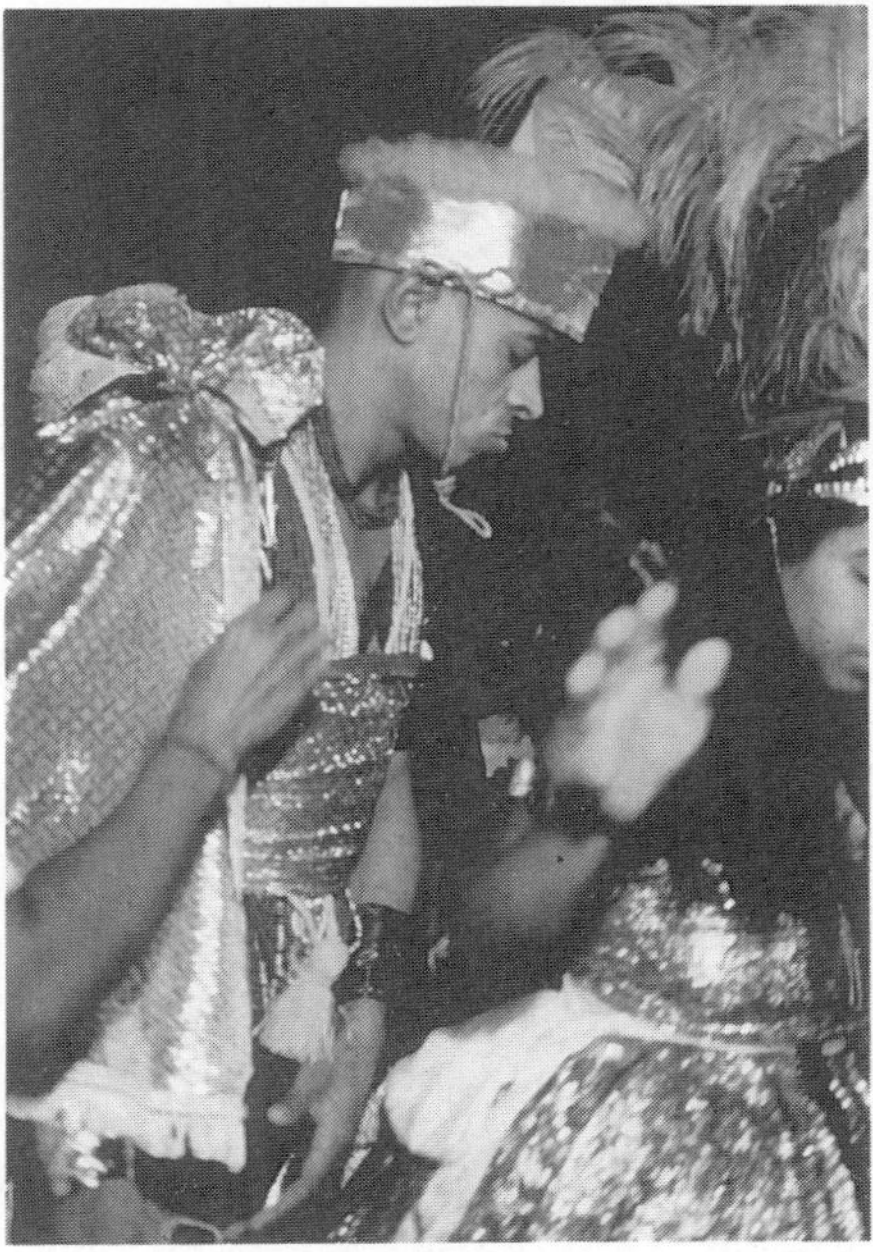
オショスィの精霊にとりつかれた男

そのお告げを聞くのです。神が直々《じきじき》にやって来て願いを聞いてくれるなんて、やっぱり「幸せ」な人たちではありませんか。

丑三《うしみ》つ時になった頃、私は外へ出ました。どしゃ降りは止《や》んで、辺りの赤土は泥沼のようになっていました。バイヤは神秘的でエキゾティックな街というのでしょうか。いや、人間の原点の街というべきかもしれない。だから異国異文化の人といえども、何か心をひかれるのではないでしょうか。

LONDON
ロンドン　イギリス

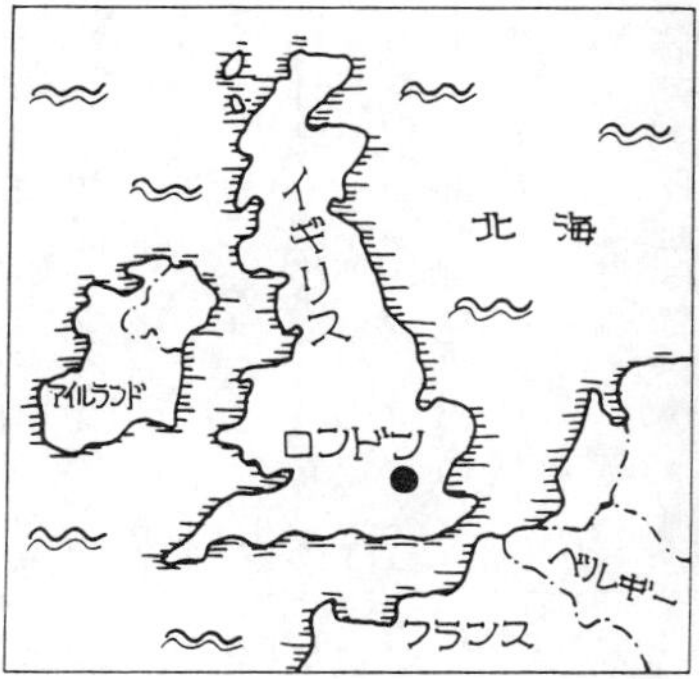

歴史ある都には、「花のパリ」「ドナウの女王ブダペスト」などとそれぞれ冠がつきますが、ロンドンには「偉大な王」という冠を捧《ささ》げたいと思います。この三〇数年ほど、ほとんど毎年ロンドンに行きましたが、いつ行っても抱擁される思いのする、私にとって父のような都なのです。

私が安らぎを感じるのは、第一に街の外観があまり変わらないこと。いつ行っても、私の知っているロンドンがあり、若き日に歩き回った思い出がそのまま私の身体《からだ》に戻ってきて、過ぎ去った年月を感じさせないからでしょうか。

今回は暑い盛りにロンドンを訪れました。最近では珍しくヒースロー空港が空《す》いていて、パスポート・コントロールもほとんど並ばず、係員も相変わらず紳士的で、すいすいと外に出ると、これもまた並ばずにタクシーがさっと来てくれました。ハロッズ・デパート近くのホテルまで、約二〇キロが三〇ポンド。チップに三ポンドを加えます。一九六三年は空港から五ポンドで、円にして五千円。今は三〇ポンドだというのに、円高のお陰でやはり五千円程度です。

ロンドンに足しげく通ったのは、テレビ取材の材料がいくらでもあったからです。カーナビー通りやミニスカートのデザイナーなど流行の先端もあれば、イギリス人気質の老舗《しにせ》、イギリス人の真面目《まじめ》なユーモア、時代離れした法律、不思議な記念物など限りなくあるのです。

ホテルに荷物を置きウォーキング・シューズに履きかえて、街の様子をショッピング街を通して観察に行きます。まずは近くのハロッズ。品の種類も規模も、世界一のデパートで、お客様も世界中から来ます。今まで気がつかなかったのですが、なんと日本からの観光客用の受付があり、買い物、免税、日本への宅配を全部面倒見ていました。ハロッズは、私にとって目の保養になる所で、骨董《こっとう》家具、アンティーク・ジュウェルなどを見て、溜《た》め息《いき》をついてくるのが趣味なのです。くれぐれも注意しますが、家具はここで見て気に入っても、日本の部屋には大きすぎ、時にはドアすら通らないから衝動買いしてはなりません。

老舗といわれる店を見た目で納得できるのも、ロンドンならではです。

セント・ジェームス通りに朝八時頃行くと、店の戸をはずして開店の用意をしているのが見られます。電気仕掛けでするするとシャッターを開けようなどとまったく考えない、ベリー・ブラザーズ・アンド・ラッド酒類販売店です。店の外観は、長年の間に何回も塗ったペンキが厚く盛り上がって垂れ下がり、日本人やアメリカ人が見たら、近日閉店の店かと思ってしまいそうです。創業当時は茶、コーヒー、チョコレートなどを上流階級の客に販売していて、その頃から使用している天びん式の大きな秤《はかり》がありますが、それが貴族の間で評判になり、この秤で体重を量るのが流行したのです。ナポレオン三世も皇帝になる前に秤に乗ったし、世界的富豪で巨大な身体のアガ・カーンもたびたび計量に来ました。一七六五年から計量に来た人たちの名前が大きなブックに登録され、その数なんと三万人に及ぶのです。店の床は粗っぽい板で、し

ハロッズ・デパート

かも傾《かし》いでいるけれど、店の経営は今も上昇中とか。なにしろ現存するヨーロッパの銘酒で、ないものはないと言える店なのです。

同じ通りにあるのが、一七五六年創業のロック帽子店。最近は一日に一人でも出会えば幸いというほど、ロンドン男性のボーラー・ハット姿は見かけられなくなりましたが、そのハットをここは今でも手作りで製造しているのです。やはり一八世紀から貴族のお気に入りの店で、時の重要人物たちも良い客でした。大英帝国と言えばこの人、トラファルガー広場の塔の頂《いただき》に立っているネルソン提督も、この店で帽子を作っていました。さすが立派な軍人と思わせたのは、トラファルガーの戦いに出る前に、お勘定を払っていったことです。ネルソンは戦死して名を残したが、つけは残さなかった。そのネルソンの勘定書は厚い注文帳に記帳されています。店の奥の仕事場では、若い職人が古い木型と蒸気で、帽子の修理の仕上げをしていました。直すより、新しいものを買った方が安いなどという観念は、金額を主体に考える卑《いや》しい人の言うことで、古いものを直して、より長く使用するのが品位あるイギリス人のやり方なのです。

私がいった時はわざわざカナダからシルクハットと狐《きつね》がりの帽子を修理、注文にきている方がいらっしゃいました。丁度狐がりシーズン間近でかなりのお客様が狐がり帽のお手入れに来ていました。

ロバート・ルイス煙草《たばこ》店の創業も二〇〇年以上前。いまだに同じ家系の経営です。故

200年の伝統を誇るピカデリーサーカスの傘店

チャーチル首相も六十四年間、ここの上客でした。店の入口の脇《わき》の古いつぼは、中に煙草の葉が入っていて、客の御者《ぎょしゃ》が手を入れて自分用にひとつかみ持っていけるように置いたものです。地下にシガーのための湿度、温度を保つ部屋があり、客のシガーをそこに預かり、寝かせてあります。チャーチル氏ご愛用のシガーは「ロメオ・イ・ジュリエタ」でした。

セント・ジェームス通りに古い店が残っているのは、ロンドンにとって重要な歴史に関係があるからです。一六六五年にヨーロッパで大流行したペストで、ロンドンも多数の死者とロンドン脱出者が続出。その流行がおさまらない翌一六六六年に、ロンドンの大火で市中の大部分が焼けました。続いて、王のホワイト・ホール宮殿も焼け、王は田園であり田舎であるセント・ジェームスに宮殿を建てることにしたのです。当時のセント・ジェームスはそんな所だったようです。王とパレスのある所には貴族も移ってくる。したがって良い品を売る店も集まったというのが、これら歴史ある店々がここにある由来なのです。

それにつけても不便をものともせず、古い姿を断固として維持する、その気骨がイギリス人です。かつて落語で、日本の老舗の下駄屋の若旦那《わかだんな》が、先進国アメリカに下駄の視察に行く話で笑わせられましたが、日本は歴史のある国なのに、年輪の刻み込まれた物より、流行に遅れまじと、惜しげもなく切り替えてしまう傾向が強いようです。

老舗とがらりと違って、ペティコート・レインの別名ドロボウ市も、思わぬ拾い物があるかもしれない所です。ただし日曜日の午前中だけ。通りを埋めつくすほど露店が並び、おもちゃから下着、キッチン道具となんでも売っています。ある店では一ポンド均一で時計を売っていました。買った夫婦が嬉《うれ》しそうにいじくり回していましたが、いつまでもつやら。人だかりをかき分けてみたら、地面に箱を置いて高級香水、金のアクセサリー類を叩《たた》き売っている男がいました。「デパートで三〇ポンド、今ここでは二〇ポンド！　いやもうひとつ買えば一五ポンド、この金のチェーンもつける！」とどんどん安くなるではありませんか。

初めは二の足を踏んでいた客も、ある瞬間からどっと買い始めました。私は急いでカメラを取りに行き、走って戻ってきた時には、もうその場は空き箱だけ。彼の姿はありませんでした。違法だったのです。もしかしたら、その名のとおりドロボウした品だったのかも。ロンドンにはこんなハプニングも存在するのです。

さて、歩き疲れたのを待っていたかのように迎えてくれるのがアフタヌーン・ティーです。英国といえばティーですが、日本でも私が子供の頃はコーヒーではなくティーでした。したがってティーは馴染《なじ》み深く、私にとってロンドンで絶対に欠かせないのは、このアフタヌーン・ティーなのです。ロンドンの一流ホテルのティーはほとんど試してみましたが、ティーといい雰囲気といい、リッツ・ホテルが私の好みです。でも、それは三〇年近くも前の話で、静かで居心地がよく、客層も年配の婦人が多く落ち着いていました。大きな陶器のポットに葉がたっぷりと入っていて、これぞティーというコクがあり、時を見計らいながら運んできてくれるサンドウィッチも、素朴な味の良さがマッチしていました。当時はフラリと行っても席が取れたのに、この頃は予約が必要だそうです。なにしろ、私が最後に定宿《じょうやど》にしていたハイド・パーク・ホテルのアフタヌーン・ティーも、日本からの観光客で埋まっていました。世の中のティー愛好者が爆発的に増えたのでしょうか。

今回泊まったホテルでは、レセプションの隣の小さなラウンジで一組だけがティーをとっていました。私はホテルのブレンド・ティーを飲んでみました。この頃は「ティーは何にしますか?」などときかれ、戸惑ってしまうのです。私がおいしいと思って家で飲んでいるのは、安いセイロン・ティーなのですから。ティーと共に出されるケーキ、サンドウィッチ、スコーンなどの載っている三段トレイもイギリスのムードであり美です。サンドウィッチはきゅうりやトマトが私の好み。チーズもティーにあいます。ティー・タイムのほっとするこの一時間は、ロンドンで無上の幸せを感じるひと時なのです。

三〇年ほど前、ティーをテーマとした原稿の一年連載を受け、取材に執拗《しつよう》な性分のため、あちこちでティーを飲みいい経験をしましたが、ついに銀の骨董品のティー・セットも買ってしまいました。王室御用達《ごようたし》の店ガラードで約一〇〇万円でしたが、一年分の原稿料に少し加えれば、と思って買ったのです。不幸にして原稿料が途中から未収になってしまったから、大きな買い物になってしまいましたが、あのチャンスがあればこそ入手した物で、今も私の最愛の品のひとつです。ただし、これでティーを飲んだことは一度もないのです。ポットの中はきれいに洗ったのに、お湯を入れるだけでティーの色が出てくるのです。ガラードに問い合わせたら、以前のティーが抜けきれていないからでしょうと言うのですが、今のところ、なんとなくこれで飲む気がしないのです。

チーズといえば、もう一つ老舗を思い出しました。チーズ店パックストン&ウィットフィルドで、殆《ほとん》ど全《すべ》てのチーズがそろっています。私は日本へのみやげによく買いにいきました。場所はピカデリー通りの一本南のジャーマン通りです。

ロンドンの楽しみは無限にありますが、食事も大きな存在です。朝食からして盛大です。イギリスはなぜかベーコンが特においしい。朝食はそのベーコンにグリルドトマトとグリルドマッシュルーム。マッシュルームも秋口に出回るセプが最高です。ベーコンの脂《あぶら》と塩味がしみ込んでいて、グーンと食欲が出てしまうのです。それに卵や、ソーセイジ。これも素朴なトーストとこくのあるティーでいただけば、朝からリッチでハッピーなムードになってしまうのです。朝食は、かつての定宿だったドーチェスター・ホテルの朝食がもっともお気に入りでした。朝食のキッパー（軽く燻製《くんせい》したにしん）も美味《おい》しい。ただしこれは当たり外れがあり、美味しいのになると絶品という言葉を与えたくなります。この絶品を食べたのは、ロンドンではなくストーンヘンジという所にある小さなホテルでしたが、煙の味が美味しいなんて知りませんでした。

ランチはフィッシュ・アンド・チップ。揚げたてのアツアツに酢をかけて食べます。安くておいしいのですから、文句の言いようがありません。ただし、やはりたくさんの客が買っている店を選んだほうがいいでしょう。

パブだって悪くありません。イギリスの家庭料理やカレー、チリコンカルネなどの軽いランチがあり、それにビールを一杯、早くて安くて雰囲気を楽しめます。

さてディナーとなると、精神込めて選ぶことになります。世界各大陸の料理はもちろん、インド、中国、イタリア料理はゴマンとあり、そのランクや味もピンからキリまであります。友人で元駐英大使夫人が大のインド料理好きで、幸い公邸近くに行きつけの店があり、歩いて食べに行きました。

早く行かないと席がとれないと言われたとおり、私たちが入ったあとは入口辺りに立って待つ人がどんどん増えていったのです。今回も友人宅から歩いていける距離にある豪華なインド料理店で私たちはゆっくり食べたのですが、隣のテーブルは三回転するほどの繁盛《はんじょう》ぶりでした。点在する高級住宅の近くにおいしいレストランがあるのもロンドンの良さです。

ロンドンの中国料理は、ヨーロッパではトップではないでしょうか。海老《えび》でも蟹《かに》でもたっぷり使って、値段はリーズナブルです。私には中国や香港《ホンコン》よりもおいしい。それに値段といい衛生面といい、安心がともなうのも重要な要素です。在ロンドンの日本人は、それぞれご指定の好みの中国レストランがあるそうです。

イギリス料理といえばローストビーフ。ハイド・パーク・ホテル一階のレストランが美味しい。皿の上の肉がなくなる頃、ローストビーフの入った大きな銀のワゴンを傍《かたわ》らに持ってきて、「もっといかがですか」と勧めてくれ、雰囲気もサーヴィスも上々です。

こんなわけで、私はロンドンでは二日間で三食の割合の食事をするのです。まともに食べたら、持っていった服はすべて着られなくなってしまいます。この点だけが、嬉しくて悲しいロンドンなのです。

楽しい会話と良き酒の食事も終わって、気分も大らかになったところで、カジノでお遊びです。ただし、カジノはメンバー制のクラブです。二〇年ほど前は私もメンバーでしたが、今回は友人に連れていってもらいました。広くて天井の高い広間は満員で、客の言葉を聞いていると、主にアラビア語と日本語、韓国語。ブラックジャックやルーレットから時々歓声が起きます。私は外国のカジノでは四〇年の経験がありますが、儲《もう》けて帰ったのはモナコのただ一回のみなので、今回も小さい額を軽い気持ちで賭《か》けてブラックジャックで遊んでいたら、なんと手持ちのチップが減らないのです。思わずただのダイエット・コークを二杯も注文してしまいました。二時間も遊んだ頃、チップを換金したら五割増しになっていたのです。これではまたロンドンの魅力が増えてしまったではありませんか。

それにしても、こんなにロンドンを楽しめるのは、日本に生まれたお陰とつくづく感謝しているのです。まずは英語が中学で必修科目だったこと、それに大いに学ばせてもらったお陰で、シャーロック・ホームズからロンドンの歴史、文化をより深く楽しめる知識をえていたことです。そして日本人の勤勉さで円高となり、ロンドンで好きなことができるようにもなりました。三五年前、チップに一ポンド渡すように言われ、腰を抜かさんばかりに青くなった時が夢のようです。当時の一ポンドは、我が家のメイドの一週間分の給料だったのですもの。

ロンドンにいると、古きよき時代の日本の教育や環境が有り難くみえてくるのです。

KASHGAR
カシュガル
中国・ウイグル

古都カシュガルは、アジア大陸の西端のイスタンブールと、東端の北京《ベイジン》とのほぼ中央にあります。日本から中央アジアのカシュガルに行くには、上海《シャンハイ》まで三時間、そこからウイグル地区の首都ウルムチまで四時間、そしてタクラマカン砂漠を越え、カシュガルへ二時間と、飛行時間だけでもジェット機で九時間です。でもそうはうまくいかないことも多しですから、けっこう遠く、エキゾティックな土地に入っていくムードは、次第に高められていきます。

一〇年前に行ったときは、上海の空港で何時間も待たされた挙げ句、理由も知らされ

ないままその日は飛ばなかったし、ウルムチでは空港まで行ったものの、いったん街まで戻って待機したし、カシュガル行きに乗ったのに、手前のアクスに着陸し、何の理由かわからないが一泊などというハプニングもあったのです。

スケジュールどおりにいかないと、じんましんが出る類《たぐい》の人には気の毒ですが、私はこういう予期していなかった出来事は、おまけが付いていたようで嬉《うれ》しくなってしまいます。まあ、中国内の旅行は、悠々たる中国流に逆らわないことが、旅の楽しみ方でしょう。ただし、逆に早く出発させられたり、行き先を勝手に変更されたり、荷物を他の地に送られたりすることもあるので、こういう時は、頭に血が上ってしまうのはさけられません。

ウルムチから西へ向かう機内から眼下を眺めていると、これぞ地球の大自然本来の姿と、グーンと胸をしめつけられる感動を覚えます。雪を頂いた峻嶮《しゅんけん》な天山《テイエンシャン》山脈、その麓《ふもと》は広大な茶色の砂漠、網の目がこんがらがったように流れる泥河《でいが》の氾濫《はんらん》跡。人間が「開発」という名目のもとに傷《いた》めつけていない、のびのびとたくましい大地がそこにあるのです。そして岩山、塩の原。人の手が入ったと見られるのは、一筋の道路と、所々にある小さな緑の畑です。

あるときは火炎の暑さ、あるときは息をも凍らせる寒さというこんな土地に、小さな国々が栄え、仏教と文化の花を咲かせていたのは神秘です。それにしても、こんなダイナミックな地を二千年も前から遠方より来た人たちが歩いて通っていたのだから、昔の人はすごい。すでに紀元前に、漢の武帝はカシュガルに兵を進めたし、七世紀には玄奘《げんじよう》三蔵法師《さんぞうほうし》も仏の教えを求めてこの地を通ってインドへ行き、しかも一八年後に再びここを通って中国に帰っているのです。

未知の土地、気候も厳しく、言葉も通じない異人の国を無事通過していったのは精神力でしょうが、神仏のご加護と思ったに違いありません。こんな人たちに比べると、ジェット機で九時間ほどで来られる私たちは、あまりにも幸せ過ぎる、などなどと眼下の自然を見ながらこの地の歴史を考えていると、カシュガルに着いたときには、感無量の心境になっているのです。

カシュガル空港は、さすがに滑走路は舗装してありましたが、ターミナルの辺りは砂利と土で、見物人がのんびりと降りてくる人たちを見ていました。

宿は招待所。といっても、招待されたわけではありません。これまでの取材地で諸経費が高くついたのは共産圏でしたが、なかでも一番高くついたのは中国です。しかし今では、一人一泊、車、ガイド付きで二万円くらいだそうで、ウッソー！　といいたくなります。宿はホテルらしくないがっしりしたコンクリートの建物で、迎賓館《げいひんかん》という感じです。私の部屋は天井が高く、大きな客間がつき、お湯は時たましか出なかったけれど

アバ・ホージャ廟

風呂《ふろ》もトイレもついていました。ガイド兼通訳は二人付きます。日本語のできる中国人と、中国語のできる現地のウイグル人です。

カシュガルは標高一二〇〇メートル、人口は二二万で、空は抜けるように青く高く、楚々《そそ》として可憐《かれん》な花があちこちに咲き、日本の都会ではほとんど見られなくなった蝶《ちょう》が、ひらひらと花から花へ、無心に飛び回っていました。

六月から七月にかけては夏だというのに、空気はさわやかで気持ちがよく、空から見た景色から想像した荒々しい気候とは違い、別天地のようです。とはいえ、日中の気温は四〇度にもなりました。

街へドライヴすると、道路は土道でも、すっきりと伸びた並木が延々と続き、素掘りの灌漑《かんがい》用水路も流れ、人々が水辺の木陰などでのんびりしています。共産圏の国々で必ず目に入ったのは、道に並木が植えられていたことでした。古い並木のような、貫禄《かんろく》と茂りはないけれど、将来が大いに期待されます。

まずは、香妃《こうき》の墓があるというアバ・ホージャ廟《びょう》に行ってみます。アバ・ホージャは、カシュガルの宗教政治を司《つかさど》っていたイスラム教の領主のような存在でしたが、一八世紀に中国の清《しん》朝《ちょう》がウイグルを征服すると、彼らは殺されてしまいました。

香妃については、彼女の物語を知らなくても中国料理店などの名によく使われているから、まんざら初めて聞く名ではない、という人も多いでしょう。香妃は中国人ではなく、清と戦っ

アバ・ホージャ廟裏の墓地

たウイグルの首領の妻でしたが、夫は清に討たれ、香妃は清の乾隆帝《けんりゅう》に捧《ささ》げられました。身体《からだ》から何ともいえないかぐわしい香りを漂わせるので、香妃と呼ばれるようになり、乾隆帝は深く彼女に心を奪われてしまいました。しかし香妃は夫に操《みさお》を立てて、皇帝の思いどおりにはならなかったのです。

香妃については、いくつもの異なった説があります。ひとつには皇帝の母親が、異国の女に夢中になった皇帝の将来を危ぶみ、香妃を殺害したとも、カシュガルに送り返したとも言われるし、乾隆帝と仲良く暮らし、あちこち行動を共にしたという説もあって、台湾の故宮博物院には、清朝のイタリア人宮廷画家の描いた香妃の甲冑《かつちゆう》姿の肖像画があります。その顔を見ると現代の美人のレベルからはほど遠いものですが、時代と共に美のスタンダードも異なるし、人は好き好きだし、絵では見えないところに魅力があったのかもしれません。なにしろ謎《なぞ》の多い女性で、墓ですら、北京にもあり、故郷のカシュガルにもあるのです。

アバ・ホージャ廟は、その一族の石棺がずらりと並んでいて、どれも絹の布で覆《おお》ってあり、どれが香妃のものかわかりませんでした。ガイドが、ある墓の前で土地の人たちが座り込んでいるのを見て、「これです」と言ったけれど、彼らは移動して他の石棺の前にも座り込んでいたから、信じていいのかどうかわかりません。

廟の片隅に、香妃を乗せて来たという輿《こし》もありました。香妃の墓より私が感激したのは、廟の外側のタイルです。緑、茶、黄の三彩で、もちろん手製。その一枚一枚が何とも言えない色合いとデザインなのです。美術品なのです。心なき観光客にはがされないことを願って止《や》みません。あえて言うなら、私も欲しかったのです。

カシュガルは六四四年ごろ、玄奘がインドから帰途に立ち寄ったときの記録では、農業と織物業が盛んで、人々は仏教を信奉し、寺院は数百カ所とあったのですが、一〇世紀にはイスラム教化されました。

一三世紀には、マルコ・ポーロも来て、『東方見聞録』には、「大ハーン（当時は元の時代）の街の中で最大なのはカシュガルであり、住民はイスラム教徒だが、ネストリウス教（キリスト教の一派）も多い。手工芸と商業で生活を立て、美しい庭園、ぶどう園、畑を持ち、大量の絹を生産、当地から多くの商人が世界各地に商いに出かける。人々はけちで、飲食の際は行儀が悪い」と書きました。

一三世紀のヴェネツィアの男で、広く世界各地を見てきた彼に悪いと言われた行儀がどんなであったかは想像がつきません。現代の私が、特に眉《まゆ》をひそめるようなマナーは見られなかったし、かえって伝統の良さのほうが目についたくらいです。

私がカシュガルにいたときはちょうど、イスラム教の二大祭りのひとつ、一カ月続いた断食《ラマダン》明けの日でした。ラマダンは、最後の日の夜がしらじらと明けはじめ、一本の糸の色が白か黒かと判断できる明るさになった頃に終わります。人々はこのラマダン明けを、喜んで祝うのです。

ラマダンが明けると、カシュガルでは、まだ暗いうちから墓地に出かけます。私も薄暗いうちに、墓地に行くと、すでに何組かの家族があちこちの墓の前に座り込んで、身体を揺すって涙ながらに何事か訴えていました。他人の私も涙をそそられるほど、哀《かな》しみに暮れているのです。

横からそっと顔を覆って泣いている女の顔を見ると、彼女も手を離して私を見たのです。はっとして思わず会釈《えしやく》したら、彼女も会釈を返してきました。これを機に彼女は立ち上がったので、私は神聖な一時を邪魔したと悔やんだのですが、彼女は隣の墓の前に行き、麦やとうもろこしの粒をまくと、再び身体を揺すって泣きながら、何か語りはじめたのです。

見渡すと、あちこちで同じように泣いては次の墓へと移動を繰り返す人がいました。言っていることは、亡《な》くなった人に「貴方《あなた》がいてくれたらもっと幸せなのに。貴方がいたらどんなにあれもこれもできて楽しいか」というようなことで、寂しさをいっぱいに表現するのがウイグル風墓参りなのだそうです。考えようによっては死んだほうも気がかりで、天国で安らかに過ごせないではないですか。

私が墓地を出ると、相当高齢のおじいさんが後を追って来て、真剣な顔で話しかけてきました。彼は私を、この地から亡命した誰かさんの一族と思ったようです。私がウイグル人ではないと言っても、まだじっと私を見つめて何かを訴えていましたが、ガイドは振りきるように私を車に乗せ立ち去りました。薄暗い中にこちらを見たまま佇《たたず》んでいた老人の姿が、なぜか今も目に残っているのです。

三つ編みのウイグル帽の女性

街の中心にある最大のモスク、エイティガール寺院の前では、モスク内に入りきれない礼拝者が座り込み、敬虔《けいけん》な祈りを捧げていました。礼拝が終わると、モスクの正面入口の頂《いただき》でラッパと太鼓が奏《かな》でられ、門前広場では男たちがたくさんの輪を作って勢いよく踊りはじめました。

食べ物の屋台もあちこちに出て、どこも満員です。うどんにちまき、肉まんじゅう。なにしろ断食が明けたのです。手回しで作っているアイスクリーム店は黒山の人だかりで、作るそばから売れていました。四〇数年前にソフトクリームが初め

民族衣装で踊るウイグルの女性

て日本にお目見えしたころを思い出してしまいました。あのころは高値で、作るそばから売れるほどではなかったけれど。

　ラバが引いてきた荷車に氷が積んであり、道路で割って売っています。買った人は手で抱えて行ったり、ホウロウの器に山盛りに入れたり、バケツに入れたのを抱えて持って帰ります。どこまで行くのか知らないけれど、無事に形が残っているうちに帰りつきますように……。

　女たちは普段は髪をスカーフで覆っていますが、長い髪を一〇本くらいの三つ編みにして、刺繍《ししゅう》のある四角いウイグル帽をかぶり、晴れやかな色の衣装を着て歩いています。もちろんシルクのドレスです。シルク・ロードですもの。

　この日は、まるで昔の日本の正月です。人々は知人の家を次々に訪ね歩き、各家も来客に備え、食べ物をたくさん用意して待っています。

　サンザといううどんを揚げたスナックのようなものは、前日、女たちが作っていました。小麦粉に菜種油と玉ねぎのしぼり汁と卵を入れてこね、一握りのまんじゅうくらいの量を平らにして中央に穴を開け、周りのドゥを両手にはさみ込んでこよりながら、長く伸ばしていくのです。これで長い一本ができ上がり、これを束ねて輪のようにして二本の箸《はし》で両端を支え、フライにします。それを山のように作るのです。

私も数軒訪ねてみました。客を迎える家では、部屋の中央の床にクロスを広げ、サンザ、ナン、ジャム、ハニー、角砂糖などを並べます。飲み物は、丼茶碗《どんぶりぢゃわん》に入れた塩入りミルク・ティーですが、これは特別のものではありません。

うらやましかったのは、指のごつごつした主婦も、一見武骨な来客も、傍らにあった弦楽器ドゥタールを取り上げると、こともなげに奏で、興に入るのです。アブドゥラ・アジ家では、七歳の末娘が客の奏でる

うどんを作る元コックの男性

音楽に合わせて、首をかしげ、両手をしなやかに振り、踊りはじめました。ウイグル女性には天性の踊りの才能があります。やはり文化の歴史のある民族なのです。

❦

アハメッド・ジャン家では誰も中国語が話せません。七〇歳の主婦が、バラの香りの蜜《みつ》や種々のジャムをしきりに運んでもてなしてくれ、帰り際《ぎわ》に、庭になっている桑の実を包んでくれました。この家は門から入ると前庭に涼み台のベランダがあり、その横から階段を上がると屋上に月見の間があります。カーペットを敷き、ドゥタールを奏で、フルーツやパンを前にして一家、友人で楽しむのです。近代的な物資はなくても、自然と時間が人生の優雅な幸せを満喫させてくれるのです。最高の文化ではありませんか。

イミン・ジャン家は、新興成金の万元戸《まんげんこ》でした。二階建ての新築の家は、花模様とカラフルな色に塗られています。庭では定年退職したコックが出張してきて、地面に穴を掘り、周りに石を積んでにわかかまどを作り、中華鍋《なべ》一つで料理をしていました。うどんも小麦粉をこねて両手いっぱいに広げ、何度も振り上げながら、見事に作り上げました。女たちも料理の下ごしらえに大童《おおわらわ》。羊肉をボイルし、野菜を炒《いた》め、大宴会の準備です。

何も手伝わない男たちに、日本から持ってきた着物のモデルの写真を見せたら、わいわい騒ぎながら好みの女性を選んでいましたが、長髪で目の大きいのが共通の好みでした。

ジャン氏は燃料や車の修理など、手広くビジネスを広げ、笑いが止まらないほどリッチなのです。

部屋の中央に所狭しと並んだ料理のなかから、私が羊肉をとって彼に渡すと、こんなサーヴィスをされたことのない彼は照れて顔をくしゃくしゃにし、笑い崩れてしまいました。私とジャン氏は、もちろんことばは一言も通じません。ただ、彼のしてくれたことに「ラハメット（ありがとう）」と言うだけで大喜びでした。

やがて音楽につられて、私とジャン氏は立ち上がって踊りはじめたのです。なんと陽気なウイグル人！

アラーの神よ、願わくばカシュガルの平和と、彼らの幸せが永遠に続かんことを。

CAPE TOWN
ケープタウン

南アフリカ

南アフリカ第二の都会、ケープタウン。ケープタウンの話を聞いたのは、何十年前のことでしょうか。ヨーロッパにはない豪快な風景の中に近代を持ち込んだヨーロッパ的な街、と言われて、私はぼんやりと形や線で描けない、何か雲の中にあるような幻の桃《とう》源郷《げんきょう》を思っていました。しかし、日本からも南極大陸に行くようになり、ケープタウンで必要な食料を積み込むという新聞記事を読むと、幻の街の姿は消えて、アフリカ南端に現存する都会となってきたのです。かつてアフリカは日本からは遠い大陸でしたが、今はもうすぐそこなのです。

成田発一八時のキャセイ航空で出発することにしました。この出発時間なら少し早めに事務所に出勤すれば、いつもどおりの仕事の量をこなして空港に向かえるからです。ほっとした気分で機内に入り、まずシャンパン、そしてディナーとリラックス。この気分が何とも言えないのです。三一年間のテレビ海外取材をしていた頃も、日本を出る機内のこの一時が天国でした。

四時間ほどで香港《ホンコン》ですが、ここだけがちょっと機嫌の悪くなるところです。香港から南アフリカ航空のヨハネスブルク行き直行便に乗り換えるのに、機を降りてターミナルの階上に行くのですが、パスポートも手荷物も再びチェックされるのです。その時の空港勤務の香港女性が中国式話し方の故《ゆえ》かもしれませんが、えらくつっけんどんに命令調でものを言い、ニコリともしないのだから、けんかを売られている気分になってしまうのです。つくづく人との対応には態度が大切だと、毎回思わせられる所です。

香港からの飛行時間は一二時間半。初めてアメリカに行った時、ハワイ経由で三〇時間もかかった時代を思えば、アフリカがグンと近くなったような気がします。再びディナーが用意されましたが、私は南ア産のワインだけにし、すぐステュワーデスに椅子《いす》を水平に倒してもらい、ぐっすりと寝込んでしまいました。白人女性のステュワーデスは、白の半袖《はんそで》ブラウスに赤いベスト姿できびきびと働き、よく気がつき労を厭《いと》わず、見ていて気分のいいものでした。

一一時間も飛行した頃、機はアフリカ大陸に近づいていました。一二時間目にはすでに一万六六五〇キロも飛行し、どんどん降下を始め、上空三〇〇〇メートルまでくると外気はマイナス八度まで上昇です。日本とは七時間遅れの時差なので、アフリカの空はちょうど夜明けにさしかかっていました。アフリカならではの何とも言えないうす紫の空、そして雲の上からオレンジ色の光がぐんぐんと力強く成長し、広がり、伸びていく夜明けの息吹《いぶき》。アフリカの夜明けは私の胸をつきます。美しく逞《たくま》しい神々《こうごう》しさを感じさせる自然美なのです。

ヨハネスブルクのヤン・スマッツ空港に到着したのは、現地の朝六時頃で、もう空はぬけるように青い。ケープタウンへは、ここから飛行機で二時間です。でも今回の南ア旅行のスケジュールは、ブルートレインのAタイプ室の予約がとれた日に合わせて組んだので翌朝の列車で出かけるのです。というわけで、この日はヨハネスブルク泊まり。夜は、日本に一六年いて日本の香りと日本食が恋しいという、南ア婦人のご招待で、南ア一美味《おい》しいという日本料理店「だるま」で食事です。まず出されたのは、潮の香りが身体《からだ》を包まんばかりの大西洋産の牡蠣《かき》。小粒だが大西洋を食べている気分がします。牡蠣はここでは一年中獲《と》れますが、冬のほうがもっとおいしいとか。南半球のこの地は日本と六カ月のずれがあるので、私が行った九月末というのは冬も終わり、春を迎える季節になるのです。「だるま」は満席で、ほとんどが白人客で占められていました。食事の上でも南アは確実に変化していました。

ブルートレインはヨハネスブルクからケープタウンまでの約一六〇〇キロを、一昼夜かけて走る「動く五つ星ホテル」と呼ばれる列車です。Aタイプ室はタブ付きバスルーム、居間、寝室のあるスイートで、一列車に一つしかありません。特定の日に乗りたければ、一年前から予約しなくてはとれないそうです。ヨハネスブルク発、朝一〇時一〇分。駅のエスカレーターでプラットフォームに降りると、列車の入口にはブルーのマットが敷いてありました。「レッド・カーペットを敷く」というのはVIP扱いのことですが、ここではブルーが基調のようです。

列車は音もなくしずしずと発車。Aタイプ室は一客車の三分の一くらいのスペースを取ってあります。部屋に入ると部屋付きのステュワード、食堂車のウェイター、客車のトレイン・マネージャー等々が、次から次と挨拶《あいさつ》に来ました。居間のテーブルのコンポートにはフルーツとチョコレートが積まれ、バーにはミニ・ボトルのラム、ジン、ブランデー、ウォッカ、一〇種類ほどのウィスキーがずらりと並び、各種ナッツがガラスの器に盛られ、アイス・ペールには氷がきらきらと輝いています。見回していると部屋付きステュワードが、冷えたシャンパンをバケットに入れて持ってきました。まともに飲んでいたら、ケープタウンに着くまでに意識不明になってしまいます。窓は幅二メート

ライオンズヘッドとケープタウンの街並み

ルくらいの一枚ガラス。窓の下のスウィッチはサーヴィスコール、温度調節、窓のブラインドの開閉、ラディオのヴォリュームです。

私の夕食時間は七時半でした。着かえてまずはバーの列車で食前酒です。ゆったりとした椅子には年配のご婦人達が飲んではおしゃべりと楽しそうでしたが、前に見たように着かざってはいなく、普通のドレスで気軽なムードに変わっていました。お席がととのいましたと食堂係によばれて食堂車にうつります。夕食のメニューには、これもトゥーリストを喜ばせるためか鰐《わに》の尾肉があり、久しぶりに食べてみました。白身の固いチキンのようで、五ミリくらいの脂《あぶら》がきれいにのっていました。あんなに力強く動く鰐の尾にも脂がつくのなら、人間が多少の美容体操をしたって、ついた脂がとれないのは当然、などと半ば慰め、納得して食べましたが、肉そのものには味はほとんどなく、ホワイト・ソースの味で食べているみたいなものです。これには南ア産の白ワイン、シャルドネーがあいます。ディナーのコースをばっちり食べて、ほろ酔い気分でベッドに入りました。翌朝は朝風呂《あさぶろ》としゃれました。多少は湯がゆれて列車内にいる気分にはなれましたが、欲をいうとバスタブに入ったまま、外の景色を眺めるほどの大きなガラス窓があってくれればもっと列車風呂の気分です。風呂を出てからガウンのままでベッドに横になり、そのままの姿で流れていく外の景色を眺めました。何と優雅にして怠惰な一時！めったに味わえるものではありません。

翌日一二時を少しまわった頃、ケープタウンに到着です。ケープタウンは一九年ぶりでした。近代高層ビルが多くなったものの、青い空とこの街のランドマークになっているテーブル・マウンテンは昔のままでした。変わらずにあるというのは、心安らかに温かく迎えてくれるものです。私はまず、テーブル・マウンテンに敬意を表しにいきました。

山手の高層住宅街を通り、山道をドライヴしてケーブルカーの駅に着きます。頂上ま

ケーブルカーから一望するケープタウン

で一〇六七メートルのケーブルカーは、片道一〇ランド。一九年前は往復が一・五ランドだったというのに。思えばこの国も、私が来始めてからいろいろと変わりました。一九五九年に南アに来た頃はイギリス連邦の一つで、お金は英国と同じ一ポンドが一〇七〇円。一九年前は独立した南ア共和国の白人政府で、お金の単位もランドと変わり、一ランドが三五〇円。今日では黒人政府になって、一ランドが三〇円です。それにしても片道だけ買う人は、帰りは山を歩いて下りてくるのです。いつか私も歩いて下りるつもりです。ケーブルカーはガラスを張っていないので、風が髪を舞い上げ、中はインド人、台湾人、オランダ人観光客であふれ、いろいろな言葉が飛びかっていました。

テーブル・マウンテンの頂上は遠くから見るとテーブルのように平らなのに、じつはごつごつとした岩だらけです。眼下に広がる景色は、青い海に面した近代的な街と弧を

ロック・ハイラックスと遊んだ時の著者

描く海岸線の数々、それも白砂や岩場の、絵になるような海岸です。大都会の中に、このような美しい山と海の景色を持っている所は数少ない。しかもここは、北半球と南半球の違いはあっても東京とほとんど同じ緯度なので、気候も温暖です。

同行のサンタ夫人に、テーブル・マウンテンを観光地だからと軽く侮《あなど》って遠くに行ってはいけませんよ、と注意されたものの、私はかつて出会ったこの頂上に住む可愛《かわい》らしい動物、ロック・ハイラックスを探し回りました。ロック・ハイラックスは別名ロック・ラビットと呼ばれ、茶色の兎《うさぎ》ほどのサイズですが、兎とは関係ない有蹄類《ゆうているい》です。言うなれば、象や犀《さい》の親戚《しんせき》みたいなもので、ここでは岩の間に住んでいるのです。人から食べ物をもらい慣れているので、以前は立ち上がって両手をぶら下げて人の前に出てきたものなのに、今回はどうしたことか一匹も出てきません。オーバーかもしれませんが、傷心の思いで下山したのです。

それにしても驚いたのは、翌日の新聞記事です。あの頂上で、六年前に行方不明になっていたケープタウンの若い女性の白骨体を、オランダ人観光客が発見したのです。来慣れた山で独り歩きをしていて、事故に遭《あ》ったのかもしれませんが、今まで誰の目にもつかなかったとは。軽くみて遠くに行くな、と言われたのが、この時になって胸にずしりときたのです。

シルウッド料理学校にも寄ってみました。日本人から見たら豪邸のこの学校は、お嬢様方の花嫁修業のような学校で、以前に来た時はお嬢様方がパーティー用のカナッペなどを作っていましたが、今日のシルウッド学校ではたくさんの男女の生徒がケーキ作りを真面目《まじめ》にやっていました。

かつてこの国は駝鳥《だちょう》の羽産業で栄えた時があり、その肉を何とかおいしい食料にしようとして、この学校の創立者がその料理法で賞をもらったのです。駝鳥のひな鳥の脚、と言っても六〇センチもあるもも肉をヨーグルトに漬けて柔らかくし、脂のない肉なので豚の脂をあちこちに差し込み、香料を入れたワインに一二時間マリネし、それをフォイルに包んで、オーヴンで二時間焼くとでき上がります。ドライな肉には甘いものを添えるので、南ア産の豊富なフルーツの甘く煮込んだものが添えられていました。飲み物は、コクのある赤ワインがあいます。それももちろん南ア産のものです。

ケープタウンは一六五二年、オランダ人が東インドへ行くオランダ船に積み込む新鮮な食料補給のために作った街です。そのための野菜を栽培していた所が、今はボタニカル・ガーデンズと呼ばれて市民の公園になっています。大きな木の枝からするすると下りてきて、人の前に立つリス。少年が手から餌《えさ》を食べさせようと辛抱強く座り込んでいたり、傍《かたわ》らの大木の下のティー・ガーデンで本を読んでいる人、乳母車をのぞき込みながらお茶を飲む若い母などで、平和な雰囲気の公園です。大木の並木通りでは、男女が三々五々楽しそうに歩いていました。ヨーロッパ人はじつに街造りが上手です。住宅街の塀《へい》をまっ黄色のアカシアの花が流れるように覆《おお》い、目の覚めるような赤いアフリカン・コラルやブーゲンビリアなど色とりどりの花が、家々の庭からあふれ出るように咲いていました。

花を見るなら、カーステンボッシュ植物園です。背後に高い岩山をひかえ、その前に広がる広大な面積の植物園で、一五〇人くらいが常に手入れをしています。ここではガーデナーの一人ひとりが、自分の区域を受け持っていて、私が花にカメラを向けるとガーデナーのひとりが、まるで我が子の写真を撮られたように相好《そうごう》を崩しました。彼はいわゆるカラードで、白人でも黒人でもない、混血です。平和な暮らしを思わせる笑い顔です。給料は少ないけれど、私が面倒を見てやらないとこの花たちは死んでしまうのでね、と言いながらも、一輪手折って私にくれました。私はそれを大事に押し花にしました。

港は当世流行のウォーターフロント・プロジェクトで、レジャー施設があります。数々のレストラン、ジャズ・バー、劇場、ホテル、そして大きなショッピング・センターには、魚料理の〝サムライ・スシレストラン〟が大繁盛《だいはんじょう》です。初めて見たのは、準宝石の拾い放題の店でした。一〇坪ほどの床に青や赤、白や茶色と、親指大に削った色とりどりの石が無造作にちりばめられていて、そこに入り込んで好きな石を選んで持って帰れるのです。入口でサイズ別の袋を買うのですが、七×五センチの袋が何とたったの三ランド。石を好き放題つめていいのです。石の類《たぐい》なら、ダイヤから化石まで大好きな私です。いつかきっと、ここに座り込むつもりです。

日が暮れかけた頃、私はホテルに戻りました。今回のホテルは海辺に面した「ザ・ベイ」。高層ではなく、広々とした地中海に似合いそうな白色のホテルです。私の部屋からは海辺の椰子《やし》並木と、まだ砂浜で遊んでいる人たちが見えます。やっぱり部屋にとどまっていられない。海辺に行くとあちこちに、マットを敷いて語り合っている男女がいました。バスケットに食料、それにワイン。ある二人は、シャンパンを飲んでいました。

今日は何かいいことがあったの？　と話しかけると、「夕暮れのこの一時を二人で過ごすのがいいことですよ、いつもね」と、独り者を悔しがらせる返事が返ってきました。大西洋の水は冷たく、誰も泳いでいないけれど、愛の熱さは十分でした。

翌朝、浜で大勢の男たちが作業をしていました。何と砂浜の掃除なのです。そういえば、ケープタウンでは空き缶、プラスティック・バッグが道に転がっているのを見かけません。壁などの落書きも気がつきませんでした。きれい好きのオランダ人の名残りなのでしょうか。まだこんなにきれいな都会があるなんて本当に嬉《うれ》しい発見でした。

BASEL

バーゼル　スイス

スイスアルプスに源を発したライン川が、オーストリアやリヒテンシュタイン、ドイツの国境となり、スイス国内を三〇〇キロ流れて別れを告げる地点にバーゼルがあります。

ラインはここで直角に曲がって北上し、やがて北海に流れこみますが、ここから北海の間は大型船が航行し、バーゼルはヨーロッパ内陸一の港なのです。スイスではチューリッヒに次ぎ第二の都会でもあり、スイス一の工業地帯を持ち、古くから商業の盛んな所ですが、文化的にも一五世紀初頭創立の大学もあれば、市内の人口は約二〇万人だと

いうのに美術館、博物館が二八もあります。

然《しか》るに、です。空港は隣国フランス国内、ミュルーズにあるのを使っているのです。ヨーロッパ人は無駄なことはしませんが、特にスイス人は堅実です。近くにあるなら使わせていただいたほうが合理的というのです。本来は共同使用で、正式名はバーゼル・ミュルーズ空港ですが、バーゼルの案内書にはバーゼル空港と書いてあるからいい気なものです。

外国からこの空港に着いたら、「スイス」のサインに沿って行き、スイス税関を通ると、フランス国内なのにスイス入国ＯＫであり、バスで一五分ほど行けばバーゼル中央駅前に到着。スイスは各種乗物が発達していて、九州ほどの国土は鉄道が張りめぐらされ、ここから七〇キロほどの首都ベルンへも電車で行ければ、チューリッヒへも同じくらいの距離で、九〇分で着きます。さすがにチューリッヒには空港があり、一度乗り換えれば電車は空港の地下に滑り込むという便利さです。

私の定宿《じょうやど》は中央駅前のヴィクトリア・ホテル。このホテルは電車で来ても、荷物をプラットフォームからカートに乗せてそのまま向かいにあるホテルまで持っていけるので、取材の際にはもってこいの宿でした。しかも宿泊料も高くないのです。ただし、エアコンがないので、滅多にないことですが、むし暑い時は、古き時代に引き戻されたような気分を味わってしまいます。

駅前はトラム（市電）が絶え間なく来るし、どこへ行くにもトラムが便利ですが、旧市内ならぶらぶら歩いていくのもいいでしょう。旧市内はライン川左岸の高台なので、川に近くなるほど下り坂になります。中世の建物が誇らしげに建設の年を表記し、狭くてカーブしている坂道や路地の石段も、人々の歩いた時代を刻むが如《ごと》くすりへっています。一二九一年とか、一三八二年などと表示した家、一つのドアにもう一つ小さい入口をつけているのもあります。日常や寒いときは小さなドアを使うのでしょう。入口の前に鉄製の靴の泥落としも付いたままです。こういう所を歩くと、何となく気が休まります。

下り坂の途中で少し新しいビルに入り、店などを見物していると、いつの間にか階段を降りて中庭に出てしまいました。そこでお茶を飲んで一休みして通り抜けると、坂下の他の道に出ていたりします。こんな造りが杓子定規《しゃくしじょうぎ》ではない手作りの温かさを感じさせるのです。建物がびっしりと建っているようでも、ふと路地に入ると建物に囲まれた小さな広場があり、噴水や彫刻やベンチがあります。この辺りの人々の息抜きの場なのです。ああ、それなのに……。今回は私のお気に入りの道の家々の壁は一面にいたずら書き、何ということをする人達でしょう。

バーゼルには噴水が多く、トラムの行き交う真ん中にあるのも何か由緒《ゆいしょ》ありげですが、

廃物処理で造形したモダン・アートの凍った噴水

中世のものもあちこちにあり、パイプから流れる水を瓶《びん》に入れて持っていく人もいます。泉の水なのでしょう。

モダン・アートの噴水もありました。劇場を解体したときに廃棄処分された金属の数々を水面に配置したと聞きましたが、輪あり如《じょ》雨露《うろ》ありで、しばらく見続けたいほど各種の形が見事な配置で水面に立っていました。初めて見たときは一月だったので全部凍りついていたのですが、如雨露などは穴から水が流れ落ちる状態で凍っていて自然の造形美も加わり、これにまた太陽のライティングが映えて絶妙なアートでした。

川を挟んで左岸を大バーゼル、右岸をクライネ（小）バーゼルと分けています。崖《がけ》のある左岸と違い右岸は平坦《へいたん》で、ライン川の護岸建設とともに人々のためのスペースも設計されています。川べりに下りて白鳥や鴨《かも》に餌《えさ》をやるやさしい人達のそばで魚の命をうばう釣り人もいれば、土手は並木もベンチもある広い歩道になっていて、朝からわざわざ散歩に来る人や日光浴をしている人もいます。ここに面した家からは、テーブルを出してワインを飲んでいる人もいて、ちょっとしたウォーターフロントの憩《いこ》いの場です。

この歩道の裏道を抜けると、ヨーロッパ最小のビール醸造所レストラン、ウエリがあります。静かな裏通りで、この店ならではの味のビールを飲みに来る常連もたくさんいます。店内の壁の下深く掘られている所に、ローマ時代のほんの一部ながら砦《とりで》の跡が見られ、店の奥ではガラス越しにビール醸造中の様子が見られるようになっています。ローマ時代末期には、〝バジリア〟という名の所だったのです。

バーゼルはスイスのドイツ語圏でもあり、飲み物もドイツ人好みのビールになるのでしょうか。スイスのフランス語圏で飲み物といえばワインですもの。私はこの店に行くと、そのときの気分で軽いビール、ときには色も濃くアルコール度の強いビールを飲みます。先日、フライド・ポテトをつまみに頼んだら、お皿に山盛りにして出してくれ、食べきれない分はナプキンに包んで持たせてくれました。

猫の店のショー・ウィンドー

ライン川のほとりから二〇分ほど行った所に、猫博物館があります。猫のデザインのイヤリングをしている女性に話しかけたら教えてくれたので、訪ねてみました。そこは立派な門と広い敷地のある個人の豪邸で、猫を描いた旗が翻《ひるがえ》っていました。屋根にも塀《へい》にも窓の外にも、猫が遊んでいたり寝ていたり座っていたり……と思ったら皆、陶器の猫の飾りです。屋敷の前には毅然《きぜん》としたエジプト猫の像がこちらを見ていました。館長はご婦人で、この屋敷の持ち主です。失礼ではないと思うから正直に言わせてもらうと、見かけもペルシャ猫に似ていて、おっとりしたところも大事に扱われた高級猫のようです。猫好きで、一〇代から集めた猫デザインの数々をついに公開することにしたのですが、日曜日しか入場料はとりません。赤字はご主人のほうから埋めてもらっているそうです。

　邸内に入れば大小の猫の置き物があちこちに置いてあり、猫の彫刻のある椅子《いす》、猫デザインの鴨居の飾り、トランプ、パンや塩・胡椒《こしよう》入れと何でもござれです。日本製は古い置き物で背の丸くなった老婆《ろうば》が膝《ひざ》に猫を抱いているのや招き猫、それに〝一九五二年、オキュパイド・ジャパン〟と書いたブリキ製猫もありました。

ぞっとしたのは干からびた猫のミイラ。品のよい館長の口から事もなげに説明されたのは「中世では穀倉の地下に生きた猫を埋め、ねずみ除《よ》けにするまじないがありました。これは三〇〇年以上前の猫ですの」。あちらでは化け猫の話はないそうです。しかし何か気配を感じ、ぎょっとして置き物を見ました。動いたのです。なんと置き物ばかりと思っていたら、本物の猫も鎮座ましましていたのでした。

ライン川の左岸の水際《みずぎわ》にドライ・ケーニゲ（三人の王）・ホテルがあります。創立が一〇二六年というから、バーゼルがいかに古くから栄えた商業の地であったか納得させられます。その名のとおり、三人の王が当時ここで会合をしたというのですから、サミット発祥の地みたいな所です。バーゼルはローマ時代には軍隊の駐留地で重要でした。中世にはライン川の航行もあり、町は東西南北への交通の要地で商業が盛んになったのです。

ライン川を挟んで左岸の大バーゼルは、歴史的に古く発達も先んじていて、高台でもあることから平地の右岸を見下ろしていたのですが、一二二五年に両岸を結ぶ橋が架けられました。奇妙な橋で、大バーゼル側は木造で、途中から石造りになって小バーゼルにつながっていたのです。これは敵が小バーゼル側から攻めてきたとき、木造橋を焼き落としてそれ以上進軍させずに大バーゼルを守るためだったのです。この姿は、今はドライ・ケーニゲ・ホテルの壁画でしか見られません。

相対する両バーゼルは職業的にも異なっていて、左岸は貴族や商人などの金持ち側、右岸は職人や農民、漁夫などのワーキング・クラスでした。一四世紀に両岸は統一バーゼルとなったものの、両者のしこりというか誇りが現存していて、今でも無視し合ったり、競争し合ったりするのです。

この奇妙な橋、中央橋は一九〇三年に立派な石造りに架けかえられ、トラムも通り、人々の往来も盛んですが、左岸の橋の近くの店に、小バーゼルに向かって舌を出しているレーレ王の面が飾られています。一七世紀に大バーゼルのライン川関門に付いていた象徴で、冠を頂いた王の面は小バーゼルの

舌を出すレーレ王の面

住民をからかって、ぜんまい仕掛けで目をぐっと見開き、舌を突き出していたのだそうです。舌のことをレーリというのでレーレ王（舌出し王）と名付けたようです。

関門は一八三九年に取り壊され、そのときの王の面は博物館にありますが、面の後継者が作られて、依然として小バーゼルに舌を出しているのです。小バーゼルも黙ってはいません。バーゼルにはユニークな祭り「フォーゲル・グリフ」があります。といっても小バーゼルの住人のみが行い、この日は小バーゼルの小学三年生は休日にするほどですが、大バーゼルにその休日はありません。大バーゼルでこの祭りのことを尋《たず》ねたら、聞いたこともない、といった具合なのです。

祭りのいわれは、かってバーゼル防衛のために、小バーゼル住民が毎年、武具、甲《かっ》冑《ちゅう》、制服などの点検を行なって、その後に祝ったのが始まりで、一六世紀から続いているのです。小バーゼルの庶民は、職業別に紋章のシンボルがあって、農民、庭師、粉ひきなどが祭りの名前になっているグリフ。胴がライオンで翼があり、頭が鷲《わし》という想像上の動物です。この祭りでともに活躍するワイルドマン（野人）は漁師、猟師のもので、ライオンがワイン作りたちのシンボル。この三者が町を練り歩いて要所要所で踊るのです。

祭りは朝一一時、中央橋から遡《さかのぼ》った上流からワイルドマンが荒々しく、三メートルもあるもみの木を担《かつ》いで舟で下るときから始まります。三〇分ほどで中央橋をくぐり右岸に着けますが、ここまでに舟から一八〇発の大砲を撃ち、ワイルドマンはせわしなく船上で歩き回っているのです。上陸する前にもみの木を逆さにしてライン川の水に浸《つ》け、その水滴を見物人に振り散らしながら荒っぽく上陸して来るのです。迎えるのは祭りの委員長。正装の帽子を脱ぎ、ワイルドマンの挨拶《あいさつ》に応《こた》えると、ここで合流したライオンもグリフも、それぞれ挨拶の後に一差しの舞を進呈するのです。彼らの衣装は大きくて重いので、踊るのも大変な力がいります。一月の寒い最中《さなか》なのに、頭からかぶり物を取っただけでも身体《からだ》から湯気が出てくるほどです。

フォーゲル・グリフの祭りのワイルドマン

祭りの見せ場はちょうど一二時。中央橋の上での踊りです。橋の中央の大小バーゼルの境界線あたりに来ると、三者はくるりと向きを変えて大バーゼルに背を向け、まったく大バーゼルを無視して景気よく舞うのです。大バーゼルの橋のたもと近くでは、レーレ王が一所懸命舌を出し続けているのですが、こちらは知らん顔。舞い終わると、見物人一同を引き連れて、悠々と右岸に戻り町を練り歩きます。

ときどき個人宅の前で一舞いして

いくのは祭りに寄付をしてくれた人の家で、そのお礼なのです。これが何十軒もあるのです。赤白や青白の衣装を着込んだウエリという道化たちも、見物人の間を飛び回って、来年に備えての寄付金集めに大童《おおわらわ》です。ここで出演する三者には体力と演技力と時間がなくてはならず、男にとって名誉な役なのです。三者はそれぞれ、夜の集会で稽《けい》古《こ》に励んできたのです。いついつのグリフは迫力があった、いついつの舞いは勇壮であった、と後々まで人々の記憶に残れば成功なのです。祭りは夜になっても活気がみなぎり、三者の行く手を照らす提灯《ちょうちん》を掲げた人たちの行列も続きます。

　世界最小のビール醸造所レストラン、ウエリも満員です。この夜はハンド・オルガン弾きの名物おじさんも、ビールをぐいぐ

ビールレストランで祭りの寄付を集めるウエリ

い飲みながら客と一緒になってエンジョイしていました。祭りの日のビールは特にアルコール度が強いのです。誰もが飲んで食べて歌って、おおいに小バーゼルの気炎を上げていました。私も一緒になって騒ぎ、上機嫌で喧騒《けんそう》の店を出ると、大バーゼルに向かって中央橋を渡りました。何と大バーゼルは何事もなかったかのように、シーンとしていたのです。

STOCKHOLM
ストックホルム　スウェーデン

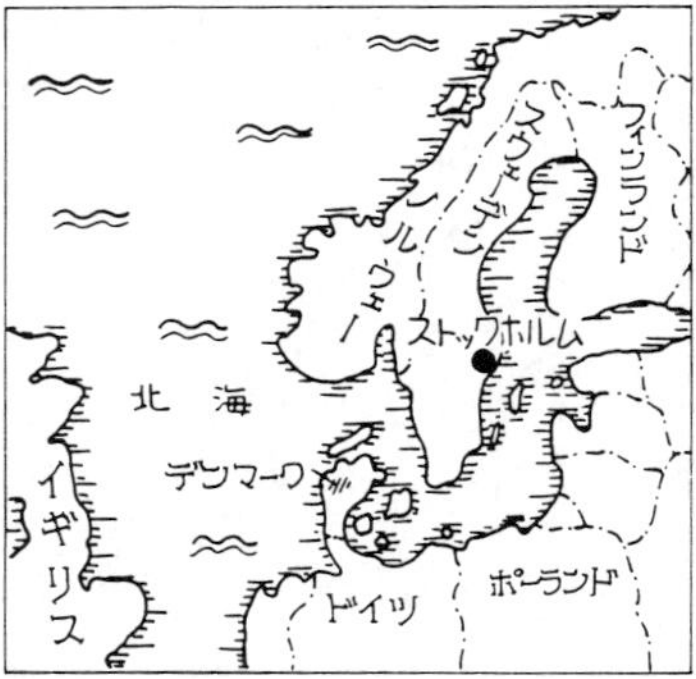

北欧の雪の上を、満月が照らし、月の光が雲を白く浮き立たせ、夜空の神秘にこの身がつつまれている不思議な気持ち。オリオン座と月を真横に眺め、眼下を見ると、一万一〇〇〇メートル下の大地に月の光が強い直線のライトをスポットのように照らし、飛行機と戯《たわむ》れるように光が一緒に飛んでいきます。空気が澄んでいるのです。

眼下の小さな街の青白いライトが冷やかに静かに光り、その中に暖かいオレンジ色の街灯の道が、前衛派の描く踊るような曲線となって、森や川、湖の暗やみに宝石のように輝いていています。間もなくストックホルムに到着、というアナウンスでふと機内に目を移し、再び夜空の大地を見ると、月の光は拗《す》ねたように隠れていました。

しかし、しばらくすると機嫌を直して、川や湖にチラッ、チラッと強い光を反射させ、楽しげに飛行機と共に舞ってみせる。北欧の空からの眺めは昼も夜も、夏も冬も、神の創《つく》られた自然の美を堪能《たんのう》させてくれます。

成田を出て一一時間、SAS機はストックホルムに到着。ストックホルム市は一四の島から成っているといいますが、それは中心地域の島の数だけで、中心地から半径二〇キロの島となると無数というほどです。何しろ島数二万四〇〇〇といわれるストックホルム群島がバルト海に続き、ある時ストックホルム港から海向こうのヘルシンキへ通うフェリーに乗って高いデッキから見ていたら、まるでごまをまいたように島だらけでした。それにしてもよくもまあ、航路を間違えないものだと感心したものです。

上空から見るストックホルム市は、海の入り江とそれにつながるメーラレン湖に島々が点在し、自然の緑と、赤煉瓦《れんが》や緑青《ろくしょう》の銅屋根や塔が水面に映る美しい街です。「北欧のヴェネツィア」と呼ばれていますが、ヴェネツィアが狭い所にぎっしりと中世の建物が建っているのと違い、ストックホルム市は広い地域にのびのびと広がる新しい街なのです。

ストックホルム市の中心地は、ガムラスタンと呼ばれる旧市街のある、周囲二キロほどの小島です。この島の最古の建物は一三世紀のものですし、古い大きな石造りの王宮もここにありますが、王様は別の明るいムードのドロットニングホルム王宮に住んでいて、ここへはご出勤なさいます。

王宮には歴代の王や王家の方々の肖像画が飾られているので、拝見してきました。ヨーロッパの王家は親戚《しんせき》だらけですが、スウェーデンの現王家の祖は一九世紀、ナポレオン軍下のベルナドット元帥《げんすい》です。スウェーデン議会が要請して皇太子として迎え、八年後にカール一四世国王となったのですが、その夫人がフランスからスウェーデン入りしたのは、彼に遅れること一四年後だったそうです。カール一四世は、ナポレオンが他国と戦争をしたときは、ナポレオンの敵方に味方をしてもスウェーデンを守り、近代国家の祖ともいわれています。カール一五世王妃はオランダの姫君、現国王の祖父が再婚した方は英国のフィリップ殿下の叔母君でドイツのヘッセン家の出だし、現国王妃はドイツ人とブラジル人を父母に持つ方。……おわかりかな……。肖像画を見ているだけでも、ヨーロッパの歴史のおもしろさが頭を駆けめぐります。

ガムラスタン旧市街は狭い石畳の道で、面する建物のなかには何百年も前に埋められた財宝が出てきたというのもあり、道を挟んで骨董品屋《こっとうひん》、アクセサリー店、レストランなど観光客の喜ぶ店がずらりと並んでいます。

ストックホルム市は北緯五九度二〇分で、日本のはるか北方、カムチャツカ半島の根元辺りの位置ですが、冬といえども人々は大いに戸外を楽しんでいます。特に一二月は活気のあるシーズンで、ガムラスタンの狭い通りも飾り電球が吊《つ》られ、寒さなど何のそのとばかり、人々の往来が激しいのです。

私も飾り電球に浮かれて歩いていたものの、南国出身の身としては温かい飲み物が欲しくなり、メッツレストランの地下におりてクリスマス時の飲み物、グロッグを注文しました。

グロッグは簡単に言えばホットワインですが、ここではなかなか手のこんだ作り方を見せてくれました。まずはワインを温め、蒸留酒を入れ、オレンジピール、干しょうが、シナモン、砂糖を入れ、アルコールランプで温度を維持しておき、アーモンドと干しぶどうを入れた小さな錫《すず》のカップに注ぐのです。複雑というか、エキゾティックな味で、結構美味《おい》しく、身体《からだ》も温まります。

ぶらぶら歩いて、ガムラスタンの島の北で国会議事堂しかない小さな島へ渡ってみます。故パルメ首相はガムラスタンに住み、歩いて王宮や議事堂に通ったそうですが、これこそウォーキング・ディスタンスという距離です。残念なことに首相は映画を見に歩いていった時に、暗殺されてしまいました。

この小島の南北に架かる短いノルブロ橋の下は段差になっていて、西側のメーラレン湖の真水が、東側のサルトショーン入り江に流れ落ちます。ここからバルト海につながる海水なのです。ここには海から帰ってくる鮭《さけ》のために魚道が作られていますが、大都会で鮭の川上りを見られる所は滅多にありません。スウェーデンでは鮭を釣るのにライセンスが必要なのに、ストックホルム市では不要です。スウェーデンが貧しかった頃の、人々への配慮の名残りだそうです。

橋を渡りきった所にオペラ座がありますが、私の目的は隣のオペラシュラーレンというレストラン。ストックホルムの一二月は多彩な月で、一〇日がノーベル賞授賞式、一三日が光の祭りルシアの日、そしてその日から一二日間、クリスマスまでがユールボードといってご馳走《ちそう》の日なのです。

ユールとはキリスト降誕祭の季節のこと。ご存じのスウェーデン式ブッフェのスモールゴスボードは、酢漬けにしんや鮭などの冷たい料理に始まり、温かい魚料理、肉類の冷温、チーズ、デザートと約四〇種類ほどの料理が並びます。見て迷い、そして諦《あきら》め、の境地でほんの一部しか食べきれないのに、ユールボードは更に特別料理が加わるのです。にしん、鰻《うなぎ》、キャビア、スモークド・サーモン、鱒《ます》、鱈《たら》のクリーム煮、ミートボール、エトセトラで、はっきりスモールゴスボードとの違いを見せるのは、大きな豚の頭がでんと鎮座ましましていることです。しかもこの日の主役と知ってか、花や飾りを着けた豚頭は、王の如《ごと》く威厳を持っておいでなのです。

ユールと豚頭のいわれは、かつてスウェーデンが貧しかった頃、人々はせめてクリスマスにはと、貴重な豚を殺して食べたから、という説や、大切な食料である穀類には魂があって、収穫した際にその魂がその辺りにいる山羊《やぎ》や豚の中に入り込むので、穀類の魂が宿る動物だから、とも言います。尾籠《びろう》な話で失礼しますが、農民はそれを食べて穀類の魂を我が身体に入れ、その排泄物《はいせつぶつ》が再び穀類に魂を与えるのだそうです。農民らしい、自然の力を尊ぶ話ではありませんか。街にはわら製などの大きな山羊もかざられています。

レストランには次々と客が到着し、クロークで毛皮のコートと毛皮の帽子を預け、ブーツを脱いで短靴に履き替えると、いざ食べんとばかり手をこすりながら、重厚な内装のダイニング・ルームに入っていきました。

毛皮といえば、当地最大のソフィエ・エリクソンズ毛皮店は、常時六千点の毛皮コートが置いてあるそうです。北欧では毛皮は必需品です。広い店内もかなりの客が入っていました。毛皮の種類も多く、私がなぜたり、頬にあてたりしていたら、着てみますか、とにっこり笑った女性に声をかけられました。店員かと思ったら当店のお嬢さんで、東京の六本木にしばらくいたことがあるといい、とても親切です。どうせ買う気はないのだから話は大きくとばかり、日本では二千万円以上もする最高の毛皮のコート、ロシアン・セーブルの値を聞いたら、何と三百万円！　ただし、ちょうど品切れということで本当に良かった。

さりげなく、残念ね、と言いながら、私が後日王様にインタビューに行く話をしたら、好きな毛皮を選び、それを着て行ってください、と言うではありませんか。女は新しい毛皮に弱い。私はブルーフォックスのふわふわを着て、王宮に参上したのです。

ノーベル賞授賞式には、着物で行くことにしました。日本にいるときに服装を問い合わせたら、イブニングなら長い手袋を着用と言われ、それにともなう宝石などを考えたら、宝石不要の民族衣装、着物が一番という結論に達したのです。ストックホルムのホテルの部屋にござを抱えた日本女性が着付けに来てくれ、フロアにござを広げてテキパキと着付けると、今日は何人も着せるので、と慌《あわ》ただしく出て行きました。残念というか、自慢ではないがというか、おのが民族衣装を自分で着付けられない民族はめったにいません。

授賞式はコンサート・ホールで行われます。私は女の目で、来場する女性の服装を観察したのですが、長袖《ながそで》ブラウスに長いスカート、短靴などといった女性もいました。着席している一階席の人たちは、男性はほとんどホワイト・タイか民族衣装で、只《ただ》一人、アジア人が普通のスーツにネクタイをしめていました。ステージ上の男性はほとんどが勲章を胸につけたり、首からぶら下げています。

王と王妃が入場すると全員起立して迎えましたが、王たちの着席後に受賞者が入場す

ストックホルム宮殿

ると、王も起立して迎えられ、賞も王が立って受賞者に近づき手渡したのです。功成り名遂げた人へ示す王の尊敬の態度なのでしょう。スウェーデンにまで賞を受けに来た外国の人たちも、心が温まったに違いありません。

　スウェーデンにはもう一つ、ノーベル賞授賞式の前日に授賞するライト・ライブリッド賞というのもあって、環境保護や市民運動などをしている人に授けられますが、一九九三年は地元スウェーデンの作家、アストリッド・リンドグレン女史が選ばれました。彼女の書いた夢のある『長くつ下のピッピ』などは日本でも訳されていて、スウェーデンでも人気投票で一位の作家だそうです。

　冬になると日本人は南国志向になりますが、冬こそ北の国が活《い》き活《い》きとするシーズンなので見逃せません。幾世紀の間にご先祖が残してくれた生活の知恵がそこにあり、今日では食物も娯楽も充実しています。都会から少し離れれば夜でも滑れるライトつきのゲレンデもあり、ホテルも清潔で安くて、しかも食事は食べ放題というところもあります。クリスマス・シーズンにはそれなりのイベントをもりこんで長期滞在の独身老人や家族を楽しませてくれるホテルもあります。キャンドルの灯のみの木造の古い教会へ馬ぞりで行ったり、農村の道を散歩しながら雪に覆《おお》われた農家の庭の馬などと会話したり、草木染めや刺繍《ししゅう》を暖炉のそばで共に作ってみたり……。私たちから見れば厳しい気候ですが、その自然と共に生きる北の国の人たちは人生をもっと大切に有効にたのしく生きているようです。割合に多くの人が英語もできるので日本人が行っても全く途方に暮れることはありません。

夏ともなると、ストックホルムの水辺は白い帆のヨットやスピード・ボートが所狭しと滑りまわっています。大ストックホルムの面積の三分の一は水面といわれ、一〇万隻《せき》以上のヨットがあるといわれています。海洋国でもあり、国民の健康的レクリエーションのため、ヨットの購入には特別の所得控除《こうじょ》があるのです。

テニスの世界チャンピオンだった、ビヨン・ボルグさんとテニスをした後――番組の撮影用です、念のため――個人の大きなヨットで友人の島の別荘に行きました。ストックホルムに住んでいるだけでもたくさんの緑も水もあるのに、都会は人が多過ぎるそうで、一つの島に一軒の家を建てて、若い夫婦と二人の子供の四人家族で泳いだり、本を読んだりの生活を一カ月もおくっていました。もちろん桟橋に自家用ヨットがつないでありました。いい水だといって当家の主婦や友人が海にとびこんで泳いでいましたが、私にも入れと盛んにさそってくれたものの水温は一七度です。陽のさんさんと当たるテラスでたっぷりとランチをとり、デザートは丁度、来合わせていたお母さんが近くの森でつんできたブルーベリーを大きなガラスのボウルにいっぱい盛って出されたのです。

一つの島に一軒の別荘を建てて楽しむ

　スウェーデン人は船が大好きです。ストックホルム市のヴァーサ号博物館は、一六二八年の処女航海で沈んだ船を三三〇年以上も経《た》ってから引き上げ、公開しています。ストックホルム市はウォーターフロントの街でもあり、トゥーリストが見るとどこにでも船が停泊していいように見えます。

なかには船のレストランもあり、そこで会った女性議員と話をしていたら、彼女は未婚で三人の子の母でした。日本では驚かれたのでもう行かないと言っていましたが、私だって表面は平静を保っているだけです。でも子供の父とは一〇年も一緒にいるが結婚はしていないということで、こういうのを〝サンボ〟という、と教えられました。私の頼んだ女性ドライヴァーもサンボ中で、まだ双方とも結婚の気が起きていないと言っていました。民族と時代が違えば、価値観も違うのです。この国の美人の代表はグレタ・ガルボ、イングリッド・バーグマン。共に熱烈な恋愛をした人たちです。北の国の人たちは身体が熱いのかもしれません。

真っ青な空の下、ストックホルム市でトール・シップの国際的集いがありました。高いマストの帆船のことです。彼らが続々とストックホルムに入って来るのを、海岸や崖《がけ》が埋まるほどの人が出迎えました。こんなにストックホルム市に人がいたのかと思うほどです。ポーランドの帆船は、マストの五段のヤードにずらりと正装したクルーが立って並び、入港して来ました。すごく格好いいのです。これは登檣礼《とうしょうれい》という出入港時の儀礼で、見物人は歓声を上げて、絶大な拍手を送りました。帆船とは美しいものです。

帆船に熱中した女性クルーだけの船も入って来ました。平均年齢一七歳の練習生たちです。日本は海の国、海の男とかいうけれど、今はそんな男たちの数はどのくらいでしようか。

多くの帆船で埋まったストックホルムのウォーターフロントは、帆船に熱いまなざしをおくる人たちでにぎわっていました。夏の夜は一〇時になっても暗くならないのです。

MANILA
マニラ
フィリピン

初めてマニラを訪れたのは、一九五九年二月。ジャーナリストとして駆け出しゆえに怖いもの知らず、言い換えれば無邪気で素直な、警戒心のないオトメでした。

夜の九時にマラカニヤン宮殿に来るように言われ、男性二人の迎えの車に乗り、真っ暗な道をドライヴしたのです。時の大統領にインタビューするための、ＯＫをもらいにいったのです。しかし大統領は夏の宮殿のバギオにいるということで、そこに行くためには当時七二時間しかないヴィザでは時間が足りず、結局は諦《あきら》めることにしたのでした。大統領秘書官氏は気の毒がって、その夜はインドネシア料理に連れて行ってくれましたっけ。

それにしても、夜九時の呼び出しなどは、本来ならはっきり断らなくてはいけません。よき人、よき時代だったものです。

ミス・フィリピンの母親がハーフ・ジャパニーズと聞いて、これも夜、訪問しました。雲仙生まれの母親は、外見は白人でしたが、棚には『主婦の友』がずらりと並んでいたのが印象的でした。

その年の一一月にはテレビ『世界の旅』の取材で、着物で走り回りました。新聞社ビルの階段をパッパッと上がっていたら、着慣れぬオコシが足にまとわりつき、ついに草履《ぞうり》に引っかかってきたのです。顔から火の出る思いでしたが、連れは外国人ひとり、するならここでしかないと、裾《すそ》からさっと引っ張って取り出し、丸めて袖《そで》に押し込みました。彼は「オー、ハンカチーフ」と言い、私は「イエース」と答えたものの、この人はどうしてこんなに大きな布をハンカチーフと言ったのかしらと、不思議に思ったものです。何十年も経《た》ってから何となく気がついたのは、彼はもしかしたら、私に恥をかかせまいとしてハンカチーフと言ったのかも……。

マニラは楽しい思い出の多い街です。人は陽気で親切で、「時間」を無視して人の幸せを優先する生活がありました。音楽があふれていました。スペイン人のナイトクラブに行ってみると、中年のスペイン人のマダムが、フラメンコの衣装を着て、カスタネットを鳴らして踊っていました。飲み物はスペインのシェリー酒。当時のアジアは、マニラにはスペインの情熱、サイゴンにはパリの優雅さ、マカオには静かなポルトガルがあったのです。どの土地も、本国にはないアジアとのミックスの雰囲気があって、エキゾティックそのものでした。

今度一〇年ぶりに懐《なつ》かしのマニラに来て、変わったでしょう、と現地の人たちに言われましたが、私はさほど変わったようには見えませんでした。マルコス時代は、毎年訪れても変わっていったものでしたが。

変わったといえば、かつての繁華街、エルミタ地区のマビニ通りを中心にした辺りが、夜は文字どおり灯が消えて暗く、オーバーに言えば、廃墟《はいきょ》のようになっていました。この辺りはガーリー・バー（女性のいるバー）がずらりと並び、姿形はいたいけな細くて若い女性が、ミニスカートで外に立ち、英語、日本語で客を呼び込んでいました。色も音も華やかな活気にあふれていたのですが、マニラ市長が閉店を命じたとのことです。

私もよくこの辺を歩いたものでした。ただし、夕方。昼間は仕事中だし、暑くて歩き回るには向いていません。日陰が長くなった頃、土産物店をのぞいて回りました。一番目立ったのは、カピス貝細工のインテリア製品です。シャンデリア、テーブル、ランプシェイド、小物はサラダボウルやプレイスマット等々。何回もマニラに通って見ていると、色の種類もデザインも豊富になってきました。全部ハンドメイドです。
カピス貝は海底四メートルくらいにあって、人が潜ってかき集め、透き通ったような色で傷のないものを選びだし、型に切ります。あるものには真鍮《しんちゅう》の枠をはめたり、色を塗ったり、糸でつないだり張りつけたりして仕上げます。働いているのは主に女性ですが、血走った目、素早い手つきなどという悲壮な様子は見られません。しゃべり、笑い、のんびりと手を動かしているのです。経営者も男と女で態度が違います。男は割合鷹揚《おうよう》ですが、女は少しでも利益を多くと考えているのが顔に出ていて、したがって女性経営者に笑顔は少ないのです。

フィリピン女性は男性にくらべて大体しっかり者です。

フィリピン人は手工芸に長《た》けていて、スペインの影響で、刺繡《ししゅう》、ドローンワークなどのテーブルクロスやドレスなどきれいなものを作り、外国人のよい土産でした。ドレスに至っては、手編みレースや、ドレス全体に小さな花形を切り抜いた手のこんだものがあり、欧米でこれを着ると、ご婦人方は一様に感嘆の声を上げたものでした。私は婉然《えんぜん》と微笑《ほほえ》んで「ありがとう」とすましていましたが、値を言ったら目の焦点が一時停止状態になっていたでしょう。そしてきっと次の旅行はマニラへとご主人にせまったことでしょう。

フィリピン取材は私にとってヴァケイションのようでした。時間は無視、スケジュールは突然変更、取材の車に沢山の飲み物、食べ物を積みこみ、その上にレストランでランチもディナーも食べたものです。しかも食事は短い時間ではなく、大笑いにおしゃべりに音楽付きです。郷にいりては郷に従え、という教えにさからわなかったおかげで、今となると楽しい思い出ばかりで感謝しています。しかし、あの頃は内心、あせったりかっとしたりした時が多々あったものでした。

世界的に観光ブームになってフィリピンも観光省ができ、雨後の筍《たけのこ》のようにトゥーリスト用のリゾートが建設されました。何しろ七二〇〇の島の南国だから海辺にこと欠きません。ある時、資本家につれられヘリコプターでおりた島は草ぼうぼうで、海は黒く見えるほど海胆《うに》やひとでがいました。彼がここにホテルを建てるというので私が、でもこの海では、というと、村の子供達に一個幾らでとらせれば数日で一個もなくなると笑いとばされ、それから数カ月後にはもう現地風のホテルときれいなビーチのリゾートができ上がっていたのです。人件費は安く、人々は働き者なのです。フィリピン好きの日本人料理人がここへ料理を教えにきてびっくりしていました。冷蔵庫にはビールしか入っていない。魚はその日にとれたのを食べ、野菜は村人が毎日運んでくるから貯蔵食料はありません。料理のヴァラエティは無理だし、ガスはなく薪《まき》なので火力が弱いからこれという料理もできないというと、オーナー氏は、他のものが食べたくなったら町へつれていってあげるよ、と大きなお腹《なか》をゆすって笑いとばされたそうです。何でも自分の所でつくってもうけようなんて気はないのです。金もうけに時間を費すより、あせらない方が楽しいという価値観の違いです。

日本人の友人が定年退職してフィリピンに住んでいますが、プール付きの家にドライヴァーの他メイド二人にコック、ボディガード（これはちょっと問題ですが）をやとって年金でまかなっているそうです。物価は安いし病院もいいし、年に二回ほど日本に観光に行くといっていました。日本はマニラからたった四時間の距離なのです。彼はすでに日本人離れしていて、待ち合わせ時間にはるか遅れてきてもにこにこしながらけろっとしていました。

男の正装は熱帯気候に適したバロン・タガログというオーバー・シャツで、薄い織布で作られています。マルコス元大統領はカルダン仕立てを着ていました。

女性の場合はテルノという、両袖がピンと立ったロングドレスが正装です。マラカニヤン宮殿で、イメルダ夫人が招待したハイ・ソサエティのレディ方の集まりは、美女と美しいテルノの競演でした。イメルダ夫人も結婚前はミス・マニラという元美女であり、ハイ・ソサエティの夫人は、どういうわけか美女ぞろいなのです。色白で、輝く緑の黒髪、白魚のような指にきれいなマニキュア、エレガントな振る舞い……。フィリピンならではの光景です。私の取材スタッフは、思っていたフィリピン女性のイメイジとまったく違うので、口をあんぐり開けて見とれていました。私もテルノを持っていますが、

マラカニヤン宮殿に立つ著者

こういう集まりには絶対に着ていきません。引き立たなくてはドレスがかわいそうではありませんか。

正装といっても、夜だけのものではありません。イメルダ夫人は空港へのＶＩＰの送迎に、テルノ姿に小さなパラソルをさして現れたものです。マニラすずめが言うには、あのパラソルもドレスに合わせた特注だそうな。靴三千足に加え、パラソルは何本あるのかしら、などと考えてしまいます。そういえば、マラカニヤン宮殿で一般公開していた靴三千足は、もう見せていません。靴は売物にならないかもしれませんが、夫人がマラカニヤン宮殿に置いていった宝石は何と一五億ドルほどで、オークションにかけられると、テレビニュースでいっていました。

手工芸品として、フィリピンにしかないパイナップル繊維の布もあります。蜘蛛《くも》の糸のように細い繊維を、一本ずつ織り込んだ布で、これのバロン・タガログを着る男性もいますが、私は飾り用のハンカチーフで満足しています。しかも洗濯などしなくていいように、全然使いません。織っていた老女を見たからで、とても粗末には使えないのです。その他に、バナナの繊維で織った布もあります。でも中国製のうすい布の方が安いので、それをバナナ繊維として売っているそうですからお買いになる時はよく確かめてください。

食事も、私は現地食主義なので、この辺りのフィリピン料理レストランを食べ歩きました。

一九七〇年頃、勢いのいいジャーナリストが、本当に美味《おい》しいフィリピン料理は自分たちの手で、ということで始めたレストランがありました。その名は「フロント・ペイジ」で、美味しくて安かったのですが、マルコス時代にジャーナリストは締め上げられたとかで、その店は今はありません。

今回はマニラに着いたその夜に、早速「カマヤン」に食べに行きました。バナナの葉の上にのせた料理を、手で食べるのです。カマイというのが「手」という意味なのです。白身のミルク・フィッシュをグリルにして——要するに焼き魚です——酢に玉ねぎのみじん切り入りのソースをかけます。カラマンシ・ジュースをかけてもいいでしょう。カラマンシは、親指の頭くらいの、すだちのようなフルーツで、このジュースは飲んでもさっぱりしていて、熱帯気候にあうのです。

ラプラプという白身の魚は柔らかく、蒸したのがいけます。酢に生姜《しようが》の入ったソースをつけます。フライにするとやし油の後味が残るので、体調に合わせて料理法は注文します。スープは素焼きの壺《つぼ》に入っているシニガンで、味は酸《す》っぱいのです。酸っぱい味はサンパロックという種を入れるからで、日本では代用にレモンなど入れて酸っぱくします。具は各種野菜の他に、好みで車海老《くるまえび》や豚肉などを入れますが、私は海老の方が好きです。不思議なことに私は、日本では海老を避けているのに、フィリピンでは食べるのです。プリプリしていて美味しいからでしょう。麺《めん》類というのかどうかわかりませんが、ソータンホンといって、一見春雨の焼きそば風の料理もあります。乾燥した素材が入っている袋を見たら、漢字で「緑豆」と書いてありました。具は野菜、肉、海老、イカ、魚などで、これもカラマンシをかけて食べると美味しい。さすがにこれは指先で食べられないので、フォークをもらったら素朴な木製でした。

フィリピンで楽しいのは、レストランでもバンドがいて、各テーブルを回って好きな曲を奏《かな》でてくれることです。カマヤンでは五人の目が不自由な人たちのバンドがギターとベースを持ってきてくれ、昔なつかしい歌を歌ってくれました。目は不自由でも音楽のセンスは身にそなわっているのです。

店の壁際《かべぎわ》に素焼きの大きな壺が並び、食事を終えた人たちはここで手を洗っています。

あまった料理はプラスティックの袋に入れてくれるので、私のシャペロン（付添い）役のメグ夫人が、メイドの土産と言って持ち帰りました。冥土《めいど》のみやげではありません。この日の夕食費は八百ペソ。

一フィリピン・ペソはこの日は、四円でした。私にとっては感無量です。初めてマニラに来たときは一ドルが三六〇円、一ペソは一八〇円でした。それが来るたびにペソ価は下がっていきましたが、四円なら四五分の一になったということです。フィリピン人家庭のメイドの月給は千ペソというから、約四千円です。どうりで日本で働きたがるはずです。一日で二カ月分の収入になるのですもの。

今は立ち退きにされた、かつての名所スラムのスモーキー・マウンテンを見に行ってきました。私の泊まっていた人工滝のあるような豪華なホテルのあるマニラの中心地から、たった七キロぐらい北なのに、ゴミ袋がまさに山と積まれ、その上に砂糖にたかるありのごとく人が働いていたのです。ごみの中から金屑《かなくず》類や、再生可能のものを探し出している人たちです。そばでは広がるごみをブルドーザーがかき集めては、山の上に投げ捨てる。また人はそこへ飛んで行って、かき回している。ものすごいエネルギーです。暑いし臭いし、ハエも飛んでいるけれど、大人も子供も潑剌《はつらつ》として動き回っていました。このエネルギーを故郷に帰って何か作り出すことに使えないのかしら、とドライヴァー

今は立ち退かされたスモーキー・マウンテン

に言うと、「彼らはどこへ行っても、またここに戻って来るのです。やはり都会にいれば何かしら収入も娯楽もあるし、仲間もいますから」と淡々といっていました。

埃《ほこり》だらけの道路沿いに掘っ建て小屋が並び、家の前では大きな丸ごとの豚を焼いていました。フィリピン人の好むレチョンです。今日はスラムで、何か祭りか祝い事があるのでしょう。若い娘たちが頭から水をかけ合って、嬉々《きき》としてはしゃいでいました。スモーキー・マウンテンの人々は移されたそうですが、あのエネルギーならきっとたくましく生きていくことでしょう。

マニラには日本にないような豪邸住宅街がいくつかあり、プールは当たり前、夜もプレイできるテニスコートや馬場もある邸《やしき》が並んでいます。中心街エルミタから、車で三〇分足らずの所にあるのが、古くから有名な高級住宅街フォルベス・パークで、この辺りには一〇分以内で行けるゴルフ・コースが四カ所もあります。これも日本にはない超金持ちのスポーツ、ポロのクラブもここにあります。

馬には酷な仕事でも、ポロは美しいスポーツです。たまたま日曜日だったのでポロのプレイがあり、私が立ち見をしていたら、休憩中らしい若い男性が気軽に声をかけてくれました。

「どうぞ中に入って飲み物、つまみ物をご自由にやってください」。私は「ありがとう」と言ってその気になったものの、シャペロンのメグは中に入ろうとしません。ここのメンバーはフィリピンの名門、財閥連中なのです。このフォルベス・パークの住人も、最近はビジネス街に近すぎて空気がよくないとかで、マニラから四〇分ほど離れた、アラバンという新設高級住宅街に移りつつあります。ラモス前大統領（在任一九九二～九八年）もここに住んでいました。

高級住宅街はそれなりに計画されて造るので、ここにもアラバン・カントリー・クラブがあり、プールは当然、ゴルフ場、ポロ競技場も備えた広大な敷地に、ほどよく色鮮やかな花の咲く木々が配置されていました。入会金は日本円で八〇〇〇万円というからフィリピン人ならよほどの金持ちでないと入れないでしょう。

フィリピン人の古い友人から夕食を我が家でと招待され、夕方五時に迎えの車が回されてきました。こんなに早くから夕食とは、彼も歳《とし》をとったのかしら、などと思っていたのは早計でした。何というトラフィック・ジャム（交通渋滞）でしょうか！　車は道路を埋めつくし、ほとんどストップの状態なのです。

少しの隙間《すきま》でも見つけると、右にいようが左にいようが、要領のいいドライヴァーが割り込んできます。まともに前の車の後ろについて行ったのでは、前進などおぼつかないのです。我がドライヴァーも、見事に隙間を見つけては右に左に滑り込んでいきましたが、よくまぁ、けんかにならないものと感心してしまいました。しかし、やはりけんかはあって、ときには発砲騒ぎにもなるそうです。恐ろしい！

ホテルから一五キロほどの彼の邸、南スペイン風の豪邸に着いたのは、二時間後の七時でした。広大な庭から空を見上げると、すでに椰子《やし》越しに満月が輝いていました。庭にはブッフェ式に料理が並び、クラシック音楽が流れ、ワインが注がれ、プールはライティングされてあります。次から次へと訪問客が挨拶《あいさつ》に来るのですが、皆、彼の義理の息子やその兄弟、その妻と子供たちと親戚《しんせき》ばかり。私が来るというので、嫁に行った娘たちも、子供やそのボーイフレンドを連れてきてくれたのです。フィリピン人は大家族制で、親族の絆《きずな》は固く、それが政治にもつながり、親族の誰かがいい地位につくと、血縁者が一斉に羽振りがよくなったりするのです。

かつてこの庭で、ミス・ユニバース候補者を招いてパーティーをしたことがありました。マニラでコンテストのあった年です。庭のあちこちでいろいろな料理が作られ、盛られ、バンドも庭や二階のベランダから演奏し、プール際に立っていたミス・ベネズエラは水の光にきらきらと映えて、水の精のように美しかった。でも彼女はミス・ユニバースに選ばれなかったけど……。あのときのパーティーも昼間、話の合間に彼が、「今夜我が家でパーティーをしようか」と言った程度だったので、あんな盛大なものになるとは思いませんでした。ドンが欲すれば、何はさておきでき上がってしまうのです。彼に「あの頃は忙しかったですね」と言うと、七〇歳の彼はユーモアたっぷりに「この頃は女性に会うのも予約オンリー、しかも時間制限付きなんですよ」と言って、隣のテーブルの夫人の方を見て首をすくめたのです。男の人が歳をとってくると女房の方が強くなってくるのは世界共通のようです。

NEW YORK
ニューヨーク　アメリカ

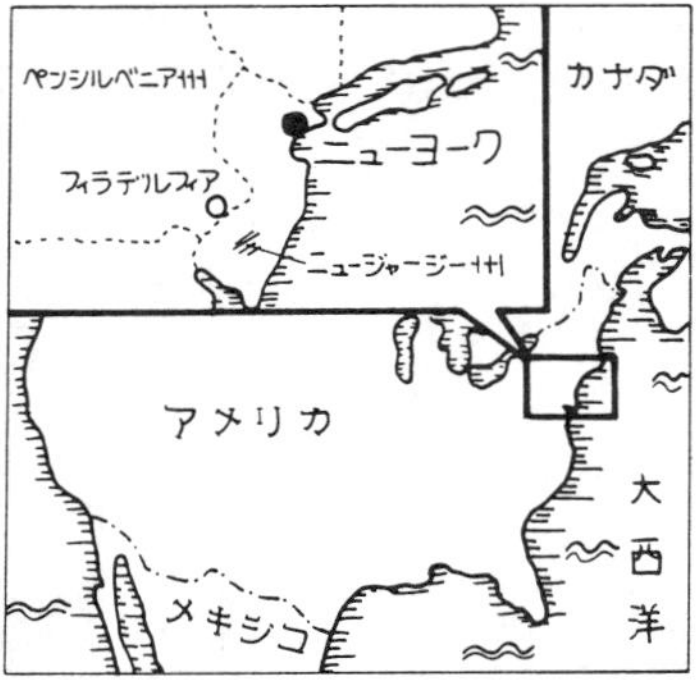

今回のニューヨーク行きは、フィラデルフィアからアムトラックで行ってみることにしました。フィラデルフィアでは、郊外にあるデュポン家の広大な美しい庭園を見学、感嘆し、フィラデルフィア市の一角の、よくぞここまで汚くしたという地区に腹を立てて泊まったリッテン・ホテルでは、これぞよきアメリカと心安らかにリラックスしました。

このホテルは古い様式を新築したもので、部屋にクラシック音楽が流れ、朝食はにこやかなサーヴィス、特にレセプションやコンシェルジュの青年たちの親切ぶりには、古きよきアメリカに再会した思いでした。しかも立派な広い部屋で家具調度もよく、なんと一五〇ドル！　お薦めです。

　フィラデルフィアのアムトラック駅は石造りの豪壮なもので、車が着くとすぐポーターが来て、荷を運んでくれました。ファースト・クラスなので二階に専用待合室があり、飲み物もただです。私は取材時代の癖で荷物から目を離すとすぐ不安になり、何回も「荷物はどこか、見たい」などと言い、日系のベテランガイド氏は、「大丈夫」と安心しきっていたものの、ついに確認しに行ってくれ、やはり大丈夫でした。

　発車時間近くなると、ステュワードが迎えに来て、エレヴェイターでプラットフォームに下り、電車に乗り込みました。荷物はすでに乗っています。一人席に座ると、愛嬌《あいきょう》のいいステュワーデスが食事のメニューを持ってきて、ワインは赤か白かときくではありませんか。これはサーヴィスなのです。たった一時間の区間で、飛行機にはこれはない。しかもニューヨークに行くには航空運賃より安く、到着場所はペンシルバニア駅という、マンハッタンのど真ん中で便利なのです。


　ニューヨークはタクシーが安くて便利です。汚いしボロボロのも多いけれど、正確なデータは別として東京の何分の一の料金です。楽しみはドライヴァーと話すことで、私はまず貴方《あなた》はどこからきたかときくのですが、今回だけでもハイチ、エチオピア、シリア、イスラエル、バングラデシュ、ロシアがいました。殆《ほとん》ど自国の政治の悪さをはき出

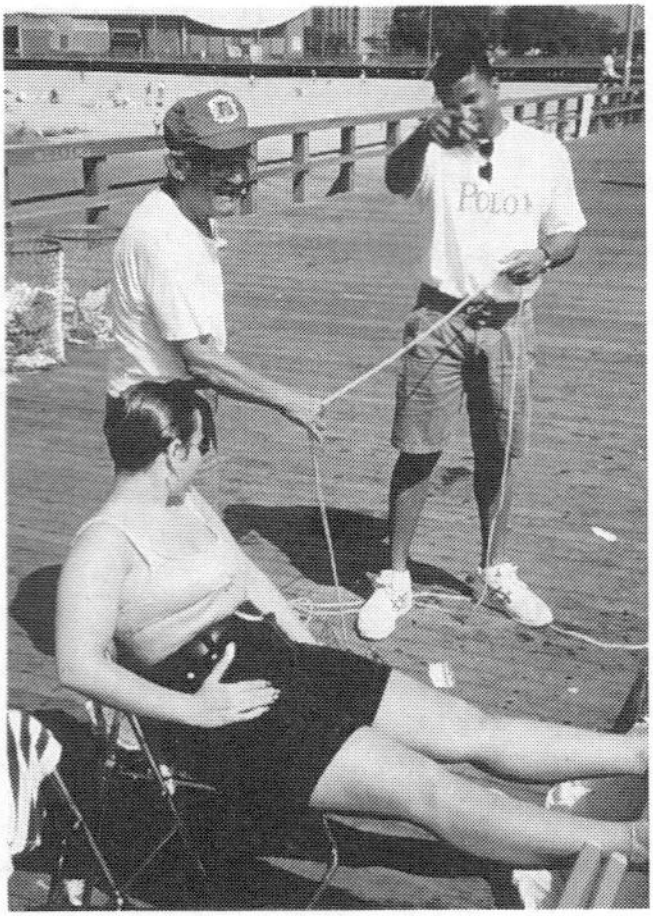
コニーアイランドで釣りを楽しむ人々

すようにいい、国が良くなったら家族をつれて帰国したいといっていました。私は未《いま》だに怖いめにあったことがないので平気なのですが、女一人、しかも若くもなくどこで何をするかわからない私なので、知人達は一緒にいかれない時は安全対策を考えてか、何かにつけてリムジンをまわしてくれました。ドライヴァーは日本語のできる韓国人で言葉も行儀も古きよき日本人を思わせます。車もぐーんと長い大型車で常に事務所に電話で報告をしあっていて一時間五〇ドルです。これでも日本語ができるから割高なのだそうです。

晴れた日曜の朝、三〇数年ぶりでコニーアイランド（浜辺のレジャーランド）に行ってみました。同行のニューヨーク滞在数年という日本人T氏にとっては初めての場所でした。市の中心部から南東へ約三〇分、方角としてはJ・F・ケネディ空港の方です。広い海辺に朝の光がまばゆく、ジェット・コースターも観覧車もゴーカートもまだとまったままで、ショーに出る象でしょうか、小屋から出され水をかけられていました。砂浜ではタンクのような車がゴミを拾い集めています。

砂浜に広い幅の高台のようなボード・ウォーク（木製の渡り廊下のような道）が四キロ以上もめぐらされ、それに面していろいろな飲食店があり、今日の人出を期待して仕込みに大童《おおわらわ》でした。パトロールのポリスはのんびりと海を見ています。海に長く突き出ている木造桟橋の両脇《りょうわき》には、家族連れの人々が食べたり飲んだり持参のチェアーに座って蟹《かに》釣りをしていました。餌《えさ》はばっちりと肉のついたチキン。見ていると面白いように釣れるのです。人々は各人種でいろいろな言葉。まさに人種のるつぼニューヨークです。それ嬉《うれ》しそうに気軽に話にのってくれた中国人もいましたが、中国人にしては珍しい。それもその筈《はず》、一時間に三〇匹の蟹を釣ったのです。「夕食は蟹玉?」ときくとまだ定《き》めていない、と笑っていました。そこには中国料理のお弁当がひろげてありました。私が蟹の入ったバケツをのぞいていたら、向かいにいた老人が訛《なま》りのある英語で、私は四時間で二〇〇匹釣ったと言いにきました。黒人、ラテンアメリカ人、東洋人が多く、少なくとも四〇年前のアメリカとは様がわりです。昼頃になると家族連れが続々とやってきましたが、その姿、格好は多分、故郷では絶対、他人には見せられないといったものです。彼等は異国ニューヨークでそれなりの自由とゆとりを楽しんでいるのでしょう。

今回はニューヨークで二つのホテルに泊まってみました。最初に泊まったAホテルは

マンハッタン島の摩天楼

かつて文筆業の自由人が集まった所で、地の利がよく、今世紀初頭の建物なのでクラシックで、大型ではありません。一階のロビーではバーのドリンクも飲めるので、夕方に戻ってきて部屋に上がる前に、白ワインを注文してピーナッツをつまみながら、満席のニューヨーカーたちを観察するのも楽しい一時です。部屋は小さいけれど、太陽の光が入るバスルームには大きなバスタブがあり、何よりも嬉しい驚きは、帰ってきたとき、ベッドの上に日本の新聞が届けられていたことでした。朝食はブッフェ式でこれも含み一泊一八〇ドルぐらい！　今後もプライヴェイトのときは、ここへ泊まろうと思います。

次に泊まったCホテルは、せっかくホテル通が紹介してくれたのですが、私には不便なうえせまくて暗くて、ダイニング・ルームはなく、バスルームにはタオルだけでも大小一八枚もかけてあるのです。タオルに押しこまれそうな圧迫感がありました。その上、値も高く、私がカードで支払ったらチェックに長い時間待たせ、その態度のスノッブなこと。ホテル通氏が何ですすめてくれたのか、不可解でした。

一九六一年、ニューヨークは初めてだったスタッフのカメラマンが、イーストリヴァーの橋を渡りながらマンハッタンの高層ビルの林立を見て、つくづくと言ったものです。

「何でこんな国と戦争したんだろう?」

そのマンハッタンも、今は日本人とおぼしき人たちが大挙して我が物顔で歩いています。日本式レストランは早くて安くて健康的でしかも美味《おい》しいというので、ランチには大もてで、市内だけでも数百軒もあり、私もアメリカ人に連れられて行ってみました。客の大半はノン・ジャパニーズで、「テンピューラ」「ギヨザ」(ヨにアクセントをつける)等々を日本人並みに早食いしていました。

戦争に負けても、日本経済と文化の侵略は確実に成功しています。寿司《すし》屋も、ランチタイムですらいっぱいです。客が入って来ると、白髪の紳士が「ハウ・メニー・パーソン?」ときき、慇懃《いんぎん》に席に案内するところは日本と違いますが、味は決して悪くありません。ただし、近いうちに衛生上ゴム手袋使用で握る規制が実行されるというのですが……。

アメリカ料理はまずい、というのが定説であった一九六〇年代、ニューヨークの高級レストラン「'21クラブ」に、川端康成《かわばたやすなり》氏、伊藤整《いとうせい》氏と食べに行ったことがあります。お二人ともきれいに召し上がり、

「美味しいですね」

とおっしゃり、

「こういう料理を知らないで、アメリカ食はまずいと一概に言ってはいけませんね」

とつけ加えられました。こういう方が国際人というものです。幸か不幸か取材時代は、私は、ニューヨークに行くと、いつもメンバーズ・クラブや名の通ったレストランに招待されていたので、本当にまずいというのはほとんど経験していないのです。

一九六〇年、ダウンタウンでステイキ店にいきました。店内は肉屋のイメイジで、天井には肉を吊《つ》る大きなフック、床には一面にのこくずがばらまいてあって、私は何という見苦しい所に連れて来られたかと思ったのですが、これはインテリア・デコレイションだったのです。

ウェイターはカンカン帽をかぶり、肉屋の作業着の白くて長い上っぱりを着、満員の客席の間を忙しげに持ってきたのはぎょっとするほどの大きな肉の塊、炭火で焼いたス

テイキです。こんなばかばかしい量など食べられるものか、ものには適度というものがある、料理には美というものがある、なんと非文化的な、と思ったものです。私がまだ世界の価値観の違いを知らなかった時代でした。

世界一の国際航空会社だった、パンナムのあったビルの上階にメンバーズ・クラブがあり、初めて雲の上での食事も味わいました。窓の外が真っ白で、これが雲だったのです。そのビルに掲げられて、ニューヨークのシンボルのように言われていたパンナムの文字も今はありません。〝メット・ライフ〟に代わっているのです。世界一の国際航空会社パンナムがなくなるなんて誰が想像したでしょうか。

これは私にはとても悲しい世の移りかわりです。


ニューヨークの食べ物の楽しみは、エスニック料理です。まずはユダヤ人の多いニューヨークなので、パストラミのライブレッドのサンドウィッチ。中身が五センチくらいの厚さのパストラミで、マスタードをたっぷりつけ、きゅうりのピックルズで食べるのです。

昔はギリシャ・レストランも雰囲気がありました。底抜けに大騒ぎして、ウェイターが踊りながら運んで来たものでした。

今回はタイ料理に行ってみましたが、あの微笑《ほほえ》みの国のタイ人が、ニューヨークナイズというのか、にこりともしないで、フォークをテーブルに投げ出していくのにはがっかりしました。連れが片言のタイ語でしゃべったのに、フン、という調子。本来ならにっこり笑って「タイ語がお上手ですね」くらい言うものなのに。味はまあまあでした。

　ビルマ料理の方はタイと中国とインドのミックスみたいな料理でしたが、こちらはニューヨークに来て間もないというウェイトレスがいて、まだしとやかで微笑みがありました。

　安くて早いをモットーとするチャイナタウンに飲茶《ヤムチャ》を食べに行きました。まるで香港《ホンコン》にいるかと錯覚を起こすほど広大な食堂はびっしりと客で埋まり、その間を料理をのせたワゴンが右往左往し、のせている料理の種類を大声で叫ぶ声と客のざわめきで、とてもここがアメリカとは思えません。味もまったくアメリカ的ではないのです。四〇年前は、中華料理にケチャップとマヨネーズが添えられていたというのに。二人で、動くの

ロックフェラーセンター前で著者

が億劫《おっくう》になるほど食べて、それでもたった一五ドル。中国人商法はたくましい。地球上、ビジネスになる所なら必ず中国人がいるのがよくわかります。私はかつての人気番組「時事放談」で、細川隆元さんとの対談で、地球最後の日にたった一人生きのこったとしたら、それは中国人だと言ったら、細川さんはうなっていらっしゃいました。

ニューヨークならではの雰囲気のレストランは、セントラル・パーク内のタヴァーン・オン・ザ・グリーン。馬の蹄《ひづめ》の音を聞きながら馬車に揺られて、森の中のただ一軒、というと静かな落ちついたレストランで、恋する二人が目と目をじっと見つめ合うのに格好の場、などと早合点してしまうけれど、そうはいきません。ディナーが六時というのは早いけれど、それはまだしも、七時半には終わらせなくてはならないと言われて、びっくり仰天。客が多くて、ゆっくり食事などさせていられないのです。タイム・イズ・マネー。これぞ、オー、ニューヨーク！　目を見つめ合うどころか、人一倍食事の遅い私はものも言わず、息もつかず一心不乱になって食べたのです。したがって何を食べたか、味はどうだったかも覚えていませんが、中庭は木々の間にガーデン・ファニチャーが配置され、木々には沢山のランプが輝き、人々は生き生きとしてカクテルをエンジョイしていました。ビルの谷間のニューヨークとは、がらりと違ったムードがここにあったのです。

セントラル・パークの夜歩きは危険として、映画でも何回も描かれていますが、昼間

ワシントン・スクエアの広場でくつろぐ市民

はそんな気配はまったく見られません。かえって、よくぞこのようなパークを造った、というのが実感です。ビルの林立するマンハッタン島の中央に、ぽっかりと自然を残しているようなのが、この公園。南北四キロ、東西八〇〇メートルと細長い長方形で、実は人工自然公園なのです。

私は六番《シックスアヴェニュー》街から公園に入ってみました。まずは地中から湧《わ》き出たようにむっくりと頭を出している巨岩の数々に、この島の揺るぎない地盤を見せられます。この岩盤があるからこそ、あの高層ビルも可能なのです。

すべすべした巨岩の上では、若

い男女があちこちでくっついて座っていたり、子供たちが駆け上ったりしていました。カーブした緩やかなスロープの道を下って行くと、広めの舗装道路で、ローラー・スケーターの少年少女の群れがひっきりなしに滑っています。青年コーチもいて見守り、指導していましたが、無料ボランティアだそうです。健全なシーンではありませんか。

さらに行くと、芝生の大広場のそばのステイジから、耳を聾《ろう》せんばかりのエレキの音楽会。あやしげで汚らしい（私のような化石人間から見ると）若者たちが、エネルギーを発散していました。その辺りで、おおよそこの種の音楽には関係なさそうな東洋人中年男性たちが、不思議な椅子《いす》のようなものの傍《かたわ》らに立っています。そこへ元気印の若者が来て「ハウ・ロング？」ときき、その椅子のような木造物に座ると、何と肩もみが始まったのです。この東洋人たちは、無一文でアメリカに来たのかもしれませんし、英語も話せません。でも持っているのは身体《からだ》と時間。これを利用して、人の遊んでいる所に来て稼いでいるのです。かつてロスアンゼルスで黒人が私に言ったことを思い出しました。「自分たちは四百年もアメリカにいるのに貧しい。しかし東洋人は一代でリッチになる。不公平だ」。

池にはボートが浮かび、畔《ほとり》のカフェは賑《にぎ》わっていました。ふと、モネの絵を思い出しました。二〇世紀のアメリカ版というところでしょうか。

パークは池も森も小川も全部計画され、人手によって植林、造作されたのです。一八五七年にジャーナリストの発案で着工され、一四〇〇万ドルをかけて、一八七三年に完成しました。日本でいえば安政年間にプランして、明治初期にでき上がったということです。まだ人口が一〇〇万人ぐらいのときでした。

今はこのパーク・サイドに高級アパートが建ち並び、ジョン・レノンやジャクリーヌ・オナシスも住んでいたし、世界的ヴァイオリン奏者のアイザック・スターン氏も住んでいます。

住居といえば、三〇年前、日本にマンションというものがあまりなかった頃、ニューヨークで才のある自由業の人々を訪ねたことがありました。

J・M氏のアパートは、まずビルに入るとコンシェルジュに訪問先の名を告げ、彼自身がJ・M氏に確認をとってから、エレヴェイターの階数を押してくれました。ワン・フロア全部がJ・M氏宅なので、ドアが開くともうJ・M氏の家の中です。無断ではエレヴェイターも乗れないし、この階に止まったとしてもドアは開きません。

家にはエキゾティシズム崇拝の若者が集まっていて、ドラやボンゴを打ち鳴らしていたり、片やあぐらをかいて瞑想《めいそう》に耽《ふけ》っている女性もいました。J・M氏は年齢不詳の老人ですが、共にボンゴを叩《たた》いて陶酔していました。彼は著名なPRマンで、アラスカに冷凍庫を売りに行くCMを制作したのが有名です。こんな奇抜なアイディアは、ボストンやフィラデルフィアに住んでいたのでは生まれてきません。変わった友人がふらりと遊びに来るのもニューヨークだからこそであり、突飛な発想も仲間同士の刺激から飛び出てくるのです。

P・M氏も有名な新進画家。広いアパートはどの部屋も仕事場といった感じで、作品が壁や床、机の引き出しとあらゆる所に置いてあり、気分が乗るとイヤホーンをつけてリズムをとりながらブラシを動かしていました。私が室内を勝手に撮影している間、いつの間にか私の顔を描いてくれましたが、彼の私に対するイメイジは、私から見れば夢の国のおヒメ様のようでした。きっと彼も東洋に憧《あこが》れを持っていてくれたのでしょう。

カメラマンのX・Y氏は、四階建てのビルを全部使用していました。上部二階を住まいに、階下は仕事場です。一九六四年でしたが、彼の一日の収入は百ドル！　三万六千円で、我がカメラマンの一カ月分の給料。我がカメラマンは腕は彼に劣らないながらも、収入負けで意気消沈してしまいました。

日本も変わったが、ニューヨークも変わりました。取材時代はマンハッタン島を、セントラル・パーク辺りから南の端の自由の女神を眺められるバッテリー・パークまで、歩いて往復しました。大きな島ではないだけに、時代の動きも見やすい。三五年間、時折訪ねてみると、変化が手に取るように感じられます。小さな島なのに、見るもの、経験したいものが多く、いつもやり残した気分で空港を飛び立つのです。

MÜNCHEN

ミュンヘン

ドイツ

「ミュンヘンは輝いていた」と、トーマス・マンが記したのは今世紀初頭でした。それから半世紀以上たってからも、私にはミュンヘンは輝いていました。美しく気品のある街で、宝石でいえばカナリア・ダイヤモンドのように、透明な金のような街です。なぜこの色のダイヤか。建物の色、ビールの色、それもあるかもしれませんが、あたたかみを感じさせる色だからです。ダイヤが長い年月で生まれたように、ミュンヘンも人間が永年の努力で造りあげた、しんからヴァリューがある街だからです。

一九六〇年、初めてミュンヘン空港に降りたとき、スタッフのカメラマンは煉瓦《れんが》色《いろ》の

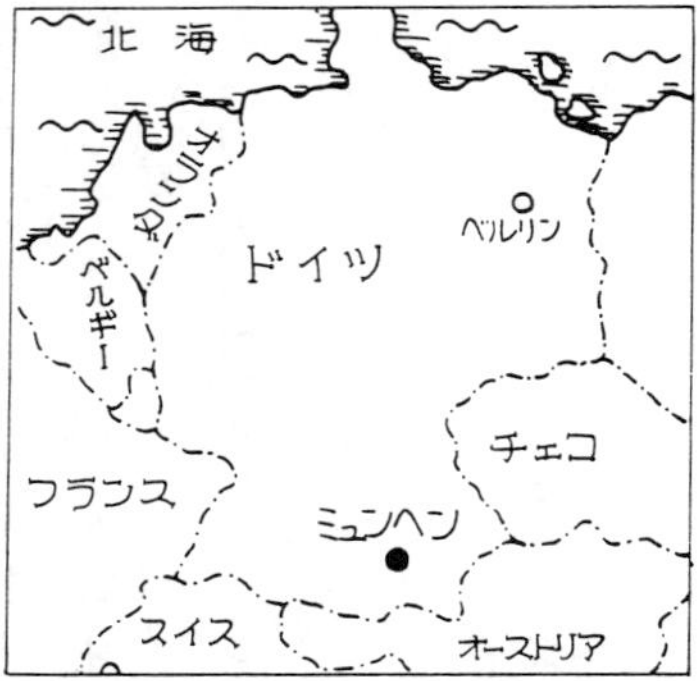

空港ターミナルをバックに、両手を上げ、両足を踏ん張って「我、ミュンヘンに来《きた》れり」と喜びの記念写真を撮りました。

私の母が初めてミュンヘンに来たときは、空港でビールを飲みました。私と違ってアルコールは一滴も飲めない母に、「ミュンヘンに来てビールを飲まないなんて」と言いながら、母の大好きなソーセイジをちらつかせて飲ませたのです。飲んだといっても、唇をぬらす程度でしたが、何と母はドイツ語で、シューベルトの『菩提樹《ぼだいじゅ》』を歌ったのです。後にも先にも、これがただ一度でしたが……。

母を初めてハワイに連れていったときは、パイナップル・ジュースに少量のジンの入ったのを飲ませたことがありました。一口飲んで、「これ、お酒が入っているでしょう?」と言うので、私は「生のパイナップル・ジュースの味よ」と澄ましていたら、着物に帯姿で日本から着いたばかりの疲れと暑さのためもあり、ぐいぐいと飲んで、そのまま倒れてしまいました。

ジャマイカでも、ラム入りのフルーツ・ポンチを「これ、何だかおかしな味」と母が言うのを、各種のフルーツのミックスだからと言ったら、小さなグラスなので一息で飲んでしまい、このときも即、人事不省になって四時間ほど寝込んでしまいました。起きたときは、さすがに私を怒りの眼で見据えたのです。

だから、もう母をだまさないことにして、〝ミュンヘンではビールを〟と、堂々と飲ませてみたのです。そのお陰で、一生に一度だけの歌を聴かせてもらったのが、ミュンヘンの空港の思い出となりました。その空港も、あのカメラマンも、母も、今はない。思い出の場所や形あるものは、なくなってしまった方が胸の痛みが少なくなるような気がします。

市庁舎前の広場でホルンを吹く人

ミュンヘンが輝いて見えるのは、市の建物や大通りが並大抵ではないからです。

第二次世界大戦の爆撃で市の六分の一が破壊され、ことに中心部の七五パーセントが破壊されたというのに、旧市街を中心としてほぼ昔どおりに復元したのです。

ミュンヘンは一八〇六年に王国となったバイエルンの首都でしたが、一二世紀からここの王家、ヴィッテルスバッハ家が支配権を握っていました。これが幸いなことに、代々文化的志向が高く、美術品の収集や立派な建物や市の美観に力を入れてきたのです。バブル的成り金が短期間に造りあげた、安っぽくアンバランスなものとは、わけが違います。

一五世紀半ばにゴシック建築美術の花が開き、ミュンヘンのランドマークの二本の塔があるフラウエン教会も、一五世紀の建築です。しかし建築中に資金が足りなくなり、片方が低いというのもユーモアではありませんか。

一六世紀にはドイツ最大のルネサンス様式の教会、聖ミヒャエルも建ち、観光客が必ず見に来る新市庁舎は、一九世紀末から四二年もかけて今世紀に完成したネオゴシックの大建築です。ここの正面の塔では、午前一一時になると身の丈一メートルの仕掛け人形が出てくるので、観光客は雨が降ろうが風が吹こうが、じっと見上げて一〇分間の時を過ごします。

公園のように広くて美しい大通りマクシミリアンは、一九世紀初頭にマクシミリアン二世が造らせ、その通りに沿って国立オペラ劇場や、イザール川を越えた所に宮殿を建てて飾っています。ミュンヘン市内には宮殿、美術館、博物館は五〇を超えるといわれています。

ルキノ・ヴィスコンティ監督の映画、『ルートヴィヒ　神々の黄昏《たそがれ》』の主人公である美《び》貌の王、ルートヴィヒ二世もバイエルンの王で、芸術を愛し、莫大な金額を音楽と城の建築に費やし、狂気、異常と言われました。ミュンヘンではありませんが、世界中にその美を謳《うた》われているノイシュバンシュタイン城は、王が情熱を持って建築させた城です。今では、日本人観光客のいない日はありません。

国家が莫大な費用をかけて軍艦を造っても、時が経《た》てば旧式となって、役立たずになるか、あるいは人を殺すのに使われたか、乗組員と共に海底の藻くずになっています。余談ですがちょっとだけ言わせてください。国が負けても、王朝が滅びても、後世の人を感銘させる技と美を残すほうが、文化度が高い人間、と私は思うのです。今のように、新兵器を造っては破壊ということを繰り返しているほうがずっと異常で狂気ではないでしょうか。特に私が怒り心頭に発しているのは地雷の製造、輸出、安売りです。二ドルまたは三ドルで売っているそうです。コーヒー一杯分にも足らない値で、です。

ルートヴィヒ二世の父がマクシミリアン二世で、あの大通りを作らせた王であり、その父ルートヴィヒ一世も芸術と美に情熱を注ぎ込み、すばらしい建築物を残しましたが、生身の美、すなわち美女も愛して、ついにその地位を失う結果になってしまいました。

ミュンヘンの北西部にあるニンフェンブルク城は、一七世紀に造られた夏の離宮です。

ここは第二次世界大戦中も破壊されず、バロック様式の宮殿としてヨーロッパ有数のものといわれ、室内装飾のきらびやかさ、絢爛《けんらん》な馬車の展示などとため息の出る豪勢さが見られますが、ここにルートヴィヒ一世が描かせた、ミュンヘン実在の美女三六人の肖像画があります。

この三六人の美女の中には一六歳の粉屋の娘あり、人妻あり、また姫君ありで、当時評判高き美女を描かせたのです。その中にいるのがローラ・モンテス嬢。一見したところ黒髪の可憐《かれん》な乙女で、スペインの踊り子と称していたのですが、このローラに王は溺《おぼ》れきってしまい、政治にまで関与させたという噂《うわさ》が広まり、ついに国民は怒って王を退位させてしまったのです。

ローラは実はアイルランド女で、踊りもろくにできない流れ者で、髪も染めていたそうです。茶髪ではありません、輝くみどりの黒髪にです。余談ですが、彼女は後にサンフランシスコに渡り、ナイトクラブを経営、その後の消息は不明です。傾城《けいせい》の美女はよくある話ですが、それほど美女でなくても、偉大な権力者の心をすっぽりと包んでしまう何かを持っているのでしょう。それを知りたいものです。

ニンフェンブルク城は宮殿に五〇年、庭に一五〇年をかけて造った離宮で、庭の広大な池や運河にはゴンドラを浮かべて遊んだそうです。ここが夏の離宮なのですから、市の中心にあるレジデンツ、王宮はおして知るべし。外観からは想像できない、贅《ぜい》を尽くした華麗なものなのです。よくぞこんな住まいを造って住んだものです。壁や天井の装飾、美術的調度品、古代の彫刻などを見ていると、まずは庶民の感覚として、どうやって常に埃《ほこり》を取り除いてきれいにしておくか、などの労苦が先に浮かんでしまいます。

それにしても、この王宮は爆撃でほとんど全面的に破壊されたというのに、この復元ぶりには頭が下がります。今は博物館になっていて、歴代の大公の収集した、価値の高い希少な品々が陳列されています。美術館も博物館も、建物は近代的には造れても、中身を札束をちらつかせてこれから買い集めるところとは、歴史が違うのです。

レジデンツの隣にあるのが、国立オペラ劇場。石造りで、正面に高い石の柱が八本も立つギリシャ風の建物です。ルートヴィヒ二世はワーグナーに入れこみましたが、ドイツは何といっても重厚な音楽が国民の血に流れています。しかし、オペレッタも盛んです。

私も夕方までに取材を終えると、劇場へ飛んでいったものです。三五年ほど前は、衣服も整えて昼間とムードをはっきりと変えて音楽を拝聴するという雰囲気で、これぞヨーロッパ、ドイツという気分になったものでしたが、だんだんと軽い服装の人たちも増え、ことに夏などは、この格好でベートーヴェン鑑賞？　というようなペラペラな普段着で来る若者が多くなりました。

曲のアレンジも変化してきています。あるデパートで流れてきた曲に、思わず足を止めたことがありました。モーツァルトのケッヘル四〇番のジャズ化を初めて聴いたときです。ドイツともあろうところで……。しかし、意外にそのアレンジは私の身体《からだ》にすんなりと入ってきたのです。

先日はマニラのホテルのランチタイムに、フィリピン人バンドがベートーヴェンのシンフォニー五番をジャズ風に奏《かな》でたのを聴き、ビートルズやプレスリーが世界の若者にアピールしたように、クラシックも現代人の音楽観で広まっていることを知らされた思いがしたのです。

夏の日は長いので夕方といってもまだ日差しの強い頃、劇場の開場前は、近くの軽食レストラン前で白ワインなどを立ち飲みしたり、ソーセイジをほおばったりして、若者たちはまるでロックでも聴きに行くような雰囲気でした。劇場の数も七〇ほどあり、民族芸術や前衛派とヴァラエティに富み、私がかけつけた劇場はどこも満席でしたから出演者も真剣勝負です。まさに芸術の都の面目躍如たるものがあるのです。

博物館のピカ一は、ドイツ博物館でしょう。一九二五年から一般公開していて、私が一九六〇年にここを訪れたときは、この国が大戦で負けたのが信じられませんでした。数多くのコレクションに目を見張りましたが、驚いたのはV兵器がすでに展示されていたことでした。

　第二次世界大戦中にドイツが優勢であった頃、何とヨーロッパ大陸からロンドンに向けて発射し、五万人近くの死傷者を出したのです。青天の霹靂《へきれき》とはこのことかというV1、V2ロケットの誘導弾です。これで戦争はドイツの勝利に終わるとさえ騒がれた兵器でした。我が国においては、その後になって、竹やりで敵兵を迎え撃つなどと言っていたのですから、V兵器の出現は少年少女に至るまで「すごーい」と思ったものでした。

　そのV兵器もイメイジからはちょっとはずれて、見かけは割り合いちゃちだったので、嘘《うそ》をつかれた気分でしたが、その他に、どうやって室内に入れたかと思う潜水艦や、天井から吊《つ》り下げられた飛行機などを見て、大戦終了後一五年目にここを訪れた私は、声もでないほど感銘したものでした。

　先日は三度目の訪館でしたが、見学者が多く、外に出てお弁当を食べている他州からのドイツ人家族に出会ったら、食後も見学を続けると言っていました。その熱心さで館の魅力を再認識してしまいました。

　ミュンヘンで美術館、博物館をくまなく鑑賞したければ、まずは下宿探しを先にして、長逗留《ながとうりゆう》を覚悟してかからなくてはなりません。

　ドイツ博物館のある所は、ミュンヘン市内を流れるイザール川の川中島です。イザール川はミュンヘンの発展の礎《いしずえ》になった重要な川ですが、夏にはこの川べりや中州に、水着の男女がずらりと寝そべって日光浴をしています。何とトップレスの女性までのびのびと横になっているのです。本を読んでいるトップレスもいます。男女で抱き合って、世界は二人のためにある、みたいなのもいます。大都会でこんな光景が見られる所はまりありません。それにもうひとつ。イザール川の水が清く澄んでいて、ゴミが浮かんでいないのも大都会では見られないもののひとつでした。

ドイツ人はよく学び、よく遊ぶという、理想的な人間らしい人たちです。中心街にあるかの有名なホフブロイハウスは、七千人も収容できる大ビア・ホールです。

ステイジではバイエルン衣装の、革のショートパンツで、太い大きな脚をむき出したオジ様楽団が、ビールを飲みながら景気よく演奏し、満席の人々にさらにビールをあおるがごとく「アイン・プローズィト、アイン・プローズィト・ゲミュートゥリヒカイト（乾杯、楽しい時よ）」を奏でると、客たちは一斉にジョッキを上げて、嬉々《きき》として乾杯するのです。

以前は、気分の高まった客たちがステイジに上がって指揮棒を振り、楽団にビールをふるまったりしたのですが、この頃は一振りにいくらと、現金を支払うようになってしまいました。もっとも楽団は棒に関係なく弾いているのですが、棒を振っていると演奏をリードしているようで気分爽快《そうかい》になるのだから、満足料です。

イザール川で日光浴をする人々

女関取のように腕も胸もモリモリしたウェイトレスが、一リットル入りのジョッキを八つぐらい持って運び回っていますが、生き生きと働き、笑いがあるのは素晴らしい。ここも日本人がいない時がないほどで、これもまた女関取風が、おつまみに「ダイコン、デイコン」と白い大根の輪切りを山と積んで売り歩いていて、ドイツ人も生の大根をポリポリかじっていました。

ある日、まだ昼間だというのに、ビア・ホールの外で一人の酔っぱらい男が、焦点の定まらぬ目つきでふらふらしながらわめいているのを見かけました。彼は「世界の中で大っ嫌いなものがふたつある。ひとつはアメリカ人で、もうひとつはバイエルン人だ！」。

私がにこにこして見ていたからか、通りかかったバイエルンの男が、すぐさま私に一言つげていきました。「バイエルン人ならあんな酔っぱらい方はしないよ」。

確かに、酔っぱらい男は「イッヒ・ビン・アイン・ベルリナー（オレはベルリン人だ）」と誇り高く、ふらふらしながら叫んでいました。

けれど、バイエルン人だって、大いに酔っぱらう時があるのです。オクトーバー・フェスト（ビール祭）はその晴れの場です。

オクトーバー・フェストは一〇月の第一日曜日から一五日前の土曜日に始まります。初日はビール樽《だる》を山と積んだ馬車の行進が、道で見物する何万もの人の喉《のど》をゴクリとさせ、会場のテレージェンヴィーゼ広場にはたくさんの大テント・ビア・ホールが並び、内部は一リットルジョッキをぐいぐい飲み干す人で満員です。

いざ飲まん、の雰囲気なのだから、女も男も定量以上に飲むのは当たり前。したがって酔っぱらい収容所、臨時ポリス出張所、有料トイレも満員とあいなります。

リオのカーニヴァルとミュンヘンのオクトーバー・フェストの熱気は、自分が参加してこそ、はめをはずした人間の豪快さが納得できるというものです。天下晴れて酔っぱらいたかったら、オクトーバー・フェストへ。ただし、酒癖の悪い人は収容所参加ということになるかもしれません。

ドイツはどこへ行っても、その土地のビールとソーセイジは美味《おい》しいのです。ミュンヘンの名物はヴァイス・ヴァーストト（白いソーセイジ）といって仔牛《こうし》の肉のソーセイジですが、銀のポットのお湯の中に入れて出され、ちょっと甘めのマスタードをつけて、白ビールでいただきます。できたてを食べるのが慣例なのでレストランでは午前中で売り切れてしまいます。

ドイツに行ったら肉屋とパン屋はのぞいてみるものです。パンの種類も多く、色も形も味も異なり、それぞれが美味しい。肉屋でソーセイジ、ハム、サラミ、その他の加工品を買い込み、パン屋で見た目で気に入ったのから買いこんでビ

オクトーバー・フェストの樽馬車

ア・ホールで食べる。次の日は異なる種類を試してみる。日本へは持ちこめないから毎日食べておいた方が悔いがありません。日本の家族、友人に食べさせたいと、せめてドイツの空港のトランジットの売店で買っても日本入国は許してくれません。買ってきたあの美味しいソーセイジ類が税関のバケツに放りこまれた時の口惜《くや》しさ、皆の喜ぶ顔が見たかったのに無惨《むざん》に打ちこわされたあの挫折感《ざせつかん》は、今もこの胸に残っているのです。

SAMARKAND
サマルカンド　ウズベキスタン

サマルカンド、その名を耳にして、貴方《あなた》はどのようなイメイジを抱くでしょうか。私は何歳のころからかはおぼえていませんが、この名、この響きがエキゾティックで、雲の彼方《かなた》の未知の里、黄金の都のように思い描いていたものでした。子供の時に読んだ世界童話集の一頁《ページ》が、強烈な印象を残したのかもしれません。長じて西アジア、中央アジアの歴史を読み、長い歴史のある地域の果てしない栄枯盛衰、想像のつかない各人種の入り乱れなどに、底知れぬ興味を持ってしまったのです。その点、「ローマ人」などはハリウッド映画に毒されてしまって、現代アメリカ人スターが演じるローマ人が先入

観になってしまったので夢の広がりようがないのですが、古代中央アジア辺りの人々はどんな外観か、雲をつかむような状態でした。
サマルカンドへは到底行けそうもないころ、同じイスラム文化であるイラクの、シーア派の聖地カルバラにある黄金のモスクを見た時は、何故《なぜ》か初めて見たというより、帰って来たという気がしたくらいに心が揺れたのです。私はサラセン文化、特にイスラム建築には傾倒しています。きっと童話集の挿絵《さしえ》にあった、サマルカンドのティムールの築いた建物などが、私の脳裏にしっかりと埋め込まれていたに違いありません。

建造物においては「西のローマ、東のサマルカンド」、または「サマルカンドは東方のローマ」と言われるほど、素晴らしい技術と美を残しました。サマルカンドは中央アジアの宝石とも言われたのです。現在はウズベキスタン共和国の第二の都会でも、世界最古の都のひとつなのです。一九七〇年に二五〇〇年祭を行いましたが、その歴史は、伝説では紀元前三〇〇〇～四〇〇〇年にはすでにアフラシャブの皇帝の都であり、紀元前四世紀にはソグディアナ王国の首都、マラカンダがありました。世界三大英雄の一人、マケドニアのアレキサンダー大王もこの地を占領、その後は地中海世界とアジアの交易ルートとして栄えました。栄えた都ゆえに、トルコ、アラブ、ペルシアに次々と襲われ、そして一三世紀にチンギス・ハーンに徹底的に破壊され、一四世紀になって強力な君主ティムールが、今も残る花の文化を打ち立てたのです。

チンギス・ハーンは破壊し、ティムールは建設したと言われます。そのティムールはチンギス・ハーンを尊敬していて、子孫とか縁続きとかにおわせていたらしいけれど、事実は不明です。

一九四一年、ソ連の調査でティムールの墓を開いてみたところ、骨太の大きな男で、右手右足に障害があり、栗色《くりいろ》の口ひげがあったというから、どうも外観においては、蒙古《もうこ》人ではなさそうです。ティムールはイスラム教徒でした。広大な地域を平定しそこに君臨して、自らを皇帝と呼ばず、エミール（統治者）と称した謙虚な君主でした。

ティムールはサマルカンドをこよなく愛し、立派な都に造り上げるために、美しい建築物を建てていったのです。そこが、発展、近代化とかの名目で、美観をないがしろにただ多くの建物を建てていった現代人とは違うところです。ドイツのフリードリヒ大王も、建物は街を美しくするものでなくてはならないとして、ポツダムでは自らも優美なサンスーシ宮殿を建て、街の美観を重要視しました。街の景観はその地の支配者の文化度を示すといえます。

ティムールはサマルカンドに、イスラム世界最大の美しいモスクの建設を計画しました。モスクの名はビビ・ハニム。彼の寵愛《ちょうあい》した妃《きさき》の名です。彼は今まで他の国々で見た何よりも優れている建物にするべく、優秀なタイル職人をアゼルバイジャン、ペルシア、

レギスタン広場

インドなどから二〇〇人も集め、近くの山からの石の切り出しに、五〇〇人が携わりました。

一三〇メートル×一〇二メートルの敷地の西側に大モスク、内庭への門の両側には五〇メートルに及ぶミナレット（塔）を建て、内庭には大理石を敷いて回廊を造り、外壁は色彩豊かなタイルで、幾何学模様とイスラム教の言葉を描きました。

このモスクには伝説があります。寵妃ビビ・ハニムは、夫が遠征から戻って来たときに完成したモスクを見せたいと願っていたところ、建築家がビビを熱烈に愛してしまいました。彼がキスをさせてくれないと期日までに仕上げないという条件を出したため、ビビは夫を喜ばせたいあまりに、ついに彼の願いを受け入れてしまいました。ティムールは帰国して、ビビについているキス・マークで事情を知り、もちろん建築家は、あの世送り。ビビも恥じて、塔から身をひるがえして昇天したというのです。ティムールはその後、女たちに美しい顔を隠すよう、ヴェールで覆《おお》うようにさせたとか。この偉大な建築も、そんな怨念《おんねん》があったゆえか、ティムールの生存中にすでに壊れ始めたのです。しかし旧ソ連が（ウズベキスタン共和国は一九九一年までソ連圏だった）一九九〇年をめどに、修理復元を行なっていました。

ミナレットを復元する職人

　私は旧ソ連に敬意を表したいことが二つだけあります。一つは音楽家やバレリーナを育てたことであり、もう一つは歴史的建造物の手間ひまかかる修理を行なったことです。

サマルカンドは地震が多い。一九〇三年に大きな地震があり、近年にもあったため耐震建築に変え、五〇メートルのミナレットは三八メートルにしてしまいましたが、修理復元は建築当時の方法で行なっているというのです。巨大な建物を覆っているモザイクのタイルをつくり、一つひとつ専門の職人がしゃがみこんで寸法を測りつつ合わせていましたが、色も焼き方も、当時の方法で造っているのです。他国には、壊れている姿のほうがずっと歴史を偲《しの》ばせる深みがあったのに、と悔やみたいような修理復元をしている所があるのですが、ここの修理は見事です。願わくば、ソ連崩壊前に完成が間に合っていてほしいものでした。

ティムールは、可愛《かわい》がっていた孫息子が軍営中に死に、彼のために墓を建てさせました。一四〇四年のことです。図らずも翌年に、ティムールが遠征途上で没したため、ティムールもここに眠ることになったのです。グル・エミール（エミールの墓）という、この建物のドームの美しさは、他に類をみません。やや細長の半円のドームは、頂点から幾筋もの溝掘式になっていて、その曲線の美も見事ですが、そこに埋め込まれたモザイクは、ブルーを基調とした小さな花柄なのです。

満月の夜、私はホテルの窓からこのドームを見ました。青く澄んだサマルカンドの夜空に、このドームがすっきりと、他の建物や木々の上に浮かびたち、青のドームが月の光を照り返し、あたかも月と語っているかのようでした。なんと幻想的な光景を創《つく》り出したことでしょう。アラビアン・ナイトです。ティムールが見ることができていたら、どんなに満足したでしょうか。それとも彼は、これ以上のものを再び造ろうと考えたでしょうか。現実に戻って、私の泊まっているホテルを見ると、なんと味気なく殺風景な建築であることか。幸いなことといえば、この中にいたので、サマルカンドの美を壊す安っぽい高層ホテルを見ずにすんだことです。

今も昔も、サマルカンドの中心地だったレギスタン広場には、三方を囲むようにマドラサが三軒建っています。ティムール亡《な》き後に建ったものです。マドラサとは宗教の高等教育をほどこす学校ですが、それぞれが例によって巨大で、建物に細かい細工が施されています。中でもモスクのあるティリヤ・カリは、その意味が「金で飾る」というだけあって、内部に入って天井を見あげると、目がくらんでしまいました。旧ソ連が修理させ、約一〇〇〇平方メートルにわたって金を張り替えたのです。

高いドーム、広い天井は平坦《へいたん》ではなく、小さく立体的に彫り込み、そこに金のモザイクが埋め込まれていて、高窓から入る薄日に神々《こうごう》しく輝き、ここで一人静かに神に祈っていたら、極楽に連れて来られた気分になってしまいそうです。本当にソ連はよくやってくれました。しかし地震の多いのが気にかかります。今度崩れたら、誰が修理してくれるのでしょうか。早く行って、極楽を自分の目で確かめてください。

イスラム建築のスケールや美は言葉や写真では表せない、と思うほど私はのめり込んでいるのですが、イスラム建築の元は、イスラム教のアラブ勢力が、広大な占領地にあった古い文化の国々の様式とそこの技術者を利用して、様式や美を融合させ、一種独特のスタイルを築き上げたものなのです。サルバドル・ダリが私に言った、「ミックスが素晴らしい！」という言葉が納得できます。

現在のサマルカンドの人々は、ウズベク人です。他にタジク、カザフ、アルメニア人もいるなんて言われても、その外観が頭に浮かんでくる人は少ないと思います。古くから人々の往来した所だからミックスでしょうが、大体黒髪の中背で、日本人に似ています。八世紀の遺跡の壁画に描かれた当時の人は、商才にも長《た》けた豊かな文化をもつソグド人（古代イラン人）で、すらりとしていて栗色の毛髪、白人的でした。ふと考えるとアメリカも、二二世紀には、黒髪褐色の人間の国で、かつて白人がいた、という話になっているかもしれません。

人と産物の集まるバザール（市場）に行ってみました。どこの町でも必ずのぞいてみる所です。ビビ・ハニムの隣の市場は広い敷地の青空市場で、所狭しと農産物が広げられていました。西瓜《すいか》とメロンが地面に山と積まれ、売り手の男が客を捕まえると、大きな包丁ですっぱりと切り、中身を見せ、食べろと勧めるのですが、素直に食べてまわったのは、私ぐらい。買いもしないのに……。西瓜もメロンも西アジアが原産地だから、この辺りのものです。緑の大粒のぶどうも山と積まれていました。これも西アジアが原産地。「ぶどう」という名もウズベク語の「ブダウ」から来ているのです。

ここでも私は味見しました。メロンも西瓜もぶどうも甘いあまい！　土の成分と太陽の光が実の中で出逢《であ》うと、かくも甘いジューシーな食べ物が生まれるなんて……。アラーの神のお恵みに違いない。モスクワからついて来ているガイドは、しこたまぶどうを買い込みました。モスクワではなかなか手に入らず、高価なのだそうです。私は味見だけでおなかがいっぱいになってしまいました。いつものことです。

コルホーズ・バザールのメロン売り

枯れた草みたいなものも売っていました。室内で燃やすと殺菌作用もあるし、においを消すし、身体《からだ》にもよく、風邪も治るそうです。なかなか売れゆきがいいのです。

女性の衣装の布地もありました。ハン・アトラスといって、日本の矢絣《やがすり》のパターンを、派手な色を多く用いて織ったような模様です。絹地で、白と黒ともう一色ぐらいの単純なものから、白、黒、赤、黄、緑、青など六色くらいを織り込んだものがあり、色の多いほうが高価なのだそうです。

昔はハン・アトラスは金持ちしか着られなかったものでしたが、私も買って現地衣装をオーダー・メイドしてみました。簡単な半袖《はんそで》ワンピースで、その下に共布のパンタロンをはいたり、はかなかったりします。年配の男は、チャポンという紬《つむぎ》のどてら風のローブを帯で締め、ブーツをはいていました。このチャポンは、女が羽織ってもちょっとシックなので、私は外国人であるのをいいことに、風のある日などはこのどてらを着用して飛び回っていました。その下はハン・アトラスだから、現地の人には異様に映ったことでしょう。明治の開国時代の日本男がちょんまげに陣羽織にズボン姿とか、坂本龍馬《りょうま》のはかま姿に靴、といった感じをいだかれたかもしれません。

夜は、モスクのタイルを復元していたマエストロ（師匠）が夕食に招《よ》んでくれたので、大喜びで彼の自宅を訪ねました。マエストロは五六歳。祖父も父も息子も同業で、マエストロは一三歳のときから父の下で働き、モスクワの芸大で五年学び、サマルカンド大学で七年間、教授を務めたベテランです。

彼の邸《やしき》は、土の塀《へい》をめぐらした庭にフルーツの木があちこちにあり、家もかなり広いのです。天井の高い客間に通されると、テーブル上に各種キャンディや西瓜、ざくろ、ぶどう、蜂蜜《はちみつ》が並べられ、甘い紅茶が出されました。息子の嫁たちは、プロフという、肉と野菜の混ぜご飯を作り、庭先の夏の居間ともいうべきベランダに、敷布団《しきぶとん》のように長い座布団を敷きつめたりと動きまわっていました。

ベランダに皿を並べ始めたころ、マエストロの老母が、庭先から供を連れて入って来ました。マエストロは急いで母親に駆け寄って、大切そうにその手を取ってベランダに連れてくると、上座の中央に座らせ、早速、食物をとって差し出しました。嫁たちや孫たちの老母への尊敬のマナーも、さすが歴史と文化が古くからある人々、と思わせます。美しいものです。

老母は笑みをうかべてあぐらをかいていましたが、他の女性は横座りです。きっと目上の人の前であぐらをかいては、無礼なのでしょう。四世代の大家族が一堂に集まって食事できるなんて、なんと幸せで温かい光景でしょうか。澄んだ空のお月様までが、嬉《うれ》しそうに、やわらかい光を投げかけてくれているようでした。

人々が幸せで、ゆかしいマナーが伝えられている限り、美しい建物も生き生きと存在し続けて、サマルカンドは滅びないでしょう。人が街を作るのか、街が人を作るのか。不思議なことに、お互いがぴったりと合っていることが多いのです。

AMSTERDAM
アムステルダム
オランダ

地面にチューリップの絨毯《じゅうたん》を敷きつめた国、カラフルでメルヘンティックな衣装に木靴、のどかな田園風景の風車。オランダといえば、こんな光景が目に浮かび、人々が豊かでのんびりと平和に暮らしていると想像している人が多いかもしれません。でもオランダ人は、質素で堅実で、頑固で保守的で働き者なのです。だからこそ、あの過酷な国土をかくも美しく、生活も豊かに造りあげてきたのです。

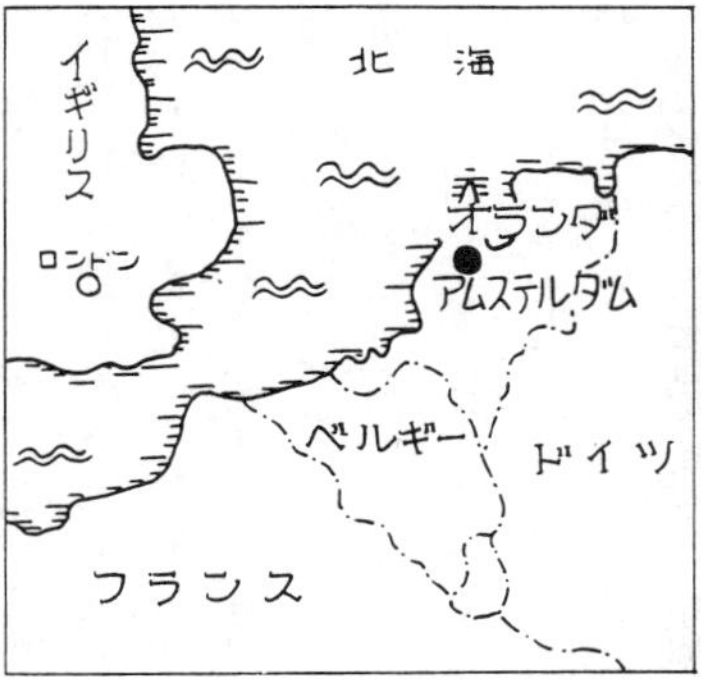

首都アムステルダムも、土台から人の手で造り上げられた都です。この地はかつて湿地のような所でした。ライン川の支流のアムステル川の河口であり、川はフレヴォ湖

（現アイセル湖）という淡水湖に流れ込み、そこから北海に通じる交通の便の良さが、都を造る理由になったのです。土を持ってきて盛り上げた場所に杭《くい》を打ち込み、土台を堅固にして家を建て、湿地を掘って交通や水はけのための水路、すなわち運河を造りあげたのです。

というわけで、この都は標高がゼロみたいなものです。北海の水位が高潮で盛り上がって押し寄せれば、都は水浸しになってしまいます。一四世紀、フレヴォ湖に北海の水が浸入しゾイデル海となりましたが、一九三二年にこの湾の北側に締め切り堤防を建設し、北海の浸入を防ぎ、内海を淡水化したのがアイセル湖になったのです。しかし現在でも水に対して油断はしていません。湖と都の水の出入口には水門があって、コントロールしているのです。オランダ人にとっては生死に関わる大問題であり、それに費やす労力と費用と時間は、莫大《ばくだい》です。しかしその結果、美しくユニークな都が誕生し、世界中の人たちが訪れ感嘆する運河の都アムステルダムとなったというわけです。

貧しい農業国が荒れ地を耕し緑に変え、山の斜面を開墾したのが棚田となり、外国人がライステラスと呼んで賞賛する美観になったのも、人間が真剣に手入れをしたたまものなのです。こういう土地も、最近は若者が村を去っていくため荒れ始めてきましたが、オランダ人はそこに住みつづけているのだから、手を抜きません。

アムステルダムの運河の数と橋の数をきいたことがありました。人を見下すような態度の政府のお役人でしたが、この時も「アメリカ人はすぐ数字を知りたがる」と軽蔑《けいべつ》の眼でまず一言。私は日本人ですのに。そして「目下、調査中である」と言って、答えてくれませんでしたが、市民の生命を左右する重要な施設の数を、他国人に教えてたまるかと思ったのかもしれません。当時は第二次世界大戦後一五年で、まだ戦争を経験した人々が多かった時代でした。一説によると運河は六〇あり、橋は一〇〇〇以上あるようです。

こういう街を歩き回るのは大変です。運河の対岸に目的の建物を見つけても、近道と思って左右を見てさっと渡るなんてことができません。橋まで歩いて行き、運が悪いと跳《は》ね橋が上がっていて、それが下りてつながるまで待たなくてはなりません。やっぱり、まずは運河のツアーをして、大体の様子を把握することです。

船というのはまったく楽なものですが、ゆっくりと静かに行くので、私は逆に見るものが多くなってしまいました。左右の建物を見たり、振り返ったりしていたら、スタッフのカメラマンから「ピンポンの審判員をしていたのですか?」と言われてしまいました。

家は間口が狭く、正面の上部に荷を吊《つ》って上下させる滑車が突き出ています。間口が狭いのは、その幅が税の基準だったからです。京都もそうだったそうですが昔のヨーロッパには、あちこちにこの基準がありました。正面上部の屋根の切妻、ヘーベルはオランダ独特の装飾で、一七世紀ごろのが階段式、その後一八世紀末までのはエレガントな曲線です。

運河には、ハウス・ボート・ピープルもいます。難民ではありません。繫留《けいりゅう》している近くの歩道上にポストなどを付けていました。四〇〇〇世帯ほどハウス・ボート住まいがいて、特に若者に人気があるそうですが、私が声をかけてみたのは白髪の夫妻で、甲板にデッキチェアーを出して休んでいました。気さくに招いてくれ、真っ黒のプードル犬も尾をちぎれんばかりに振って、歓待してくれました。

主人はたぶん五〇歳代で、仕事はしたい時にだけするというご身分。大きな家は不便だから不要、ボートには電気、電話、水道もあり、しかも税は三カ月で八〇ギルダ（一ギルダは一九九三年頃約七〇円）のみだそうです。夫人も小さい住居なので自分用の時間がたっぷりあり、本も読めるし編み物もできるとにこにこしていました。ボートに水鳥が上がってきて日向《ひなた》ぼっこを始めると、夫人はキッチンからパンを持ってきて、ちぎって与えていました。

確かに一軒の家を持つと、大変な労力と時間がかかります。オランダ人は猛烈にきれい好きなのです。床はピカピカ、窓ガラスもピカピカ、テーブルクロスもカーテンも洗いたてでアイロンをしっかりかけて、といった具合です。家具も年代物がデンとして控えています。いかに大切に扱っているかがよくわかります。

ヨーロッパでは、家の善《よ》し悪《あ》しより家具がそのファミリーを物語るというぐらい、古い家具を大切に伝えていきます。新婚の夫婦の家を訪ねた時も、家具は双方の祖母から結婚記念にもらったものと言っていましたが、家の中が実に落ち着いていて品がありました。

運河に繋留したハウス・ボート

話は飛びますが、南アフリカ共和国を最初に開拓したヨーロッパ人も、オランダ人で、南アのワインの産地のステレンボッシュは、一八世紀オランダ風住宅が並び、こよなく清らかで美しい街です。

オランダの食物は日本人から見るとあまりぜいたくでもないし、特別な料理でもありません。北の国なので、冬などは体の温まるベーコンや各種野菜のごった煮スープや、肉やポテト、にんじん、玉ねぎをバター味で仕上げるといったお袋の味的料理です。しかし、海の国だけあって、オランダ名物は鰊《にしん》です。鮭《さけ》や鰻《うなぎ》の燻製《くんせい》は強い酒のつまみにちょっといけますが、私はある夏の日、鰊の立ち食いの屋台をのぞいて、バケツの中に氷と鰊が詰まっているのを見ました。大男の売り手が一匹をつまみ出し、黒い爪《つめ》あかの太い指ではらわたを出すと、黒っぽいはらわたがだらしなく崩れたのです。古い魚です。うろこをナイフで粗っぽく取り払ったものの、まだかなり残っていました。そんな鰊を客に出すと、客も指先でつまみ、生の玉ねぎのみじん切りが入った器にちょっと入れて、多少の玉ねぎがついた鰊を顔を空に向けてそのまま口に入れました。

生の鰊の酢漬けにオニオンをまぶしたもの、と聞けば結構美味《おい》しそうなイメイジです。しかし私は取材上、ここでは事の成り行きを一部始終見ていて、少なからずげんなりとした気分になっていました。そこへ私の出番となりました。鰊を指先でつまみ、口に入れて噛《か》んだ途端、うろこが舌を刺し生臭さが鼻をつき、異様な汁が喉《のど》を刺激したのです。私の先天的保身術は、食べてはならないものには、アムステルダムの水門のごとくちゃんと喉が閉まるのです。売り手には申し訳ないが、この鰊は捨ててしまいました。取材スタッフが私を見くびろうとして食べたのですが、彼はその夜から三日間ほど調子が狂ってしまいました。

あの鰊は確かに良くありませんでしたが、その後は生鰊を抵抗なく食べています。特に五月ごろの新鮮な鰊というのは、脂肪がついていて強い酒にもあうのです。一匹丸ごとでなくカナッペのように切って出されると、かなり食べてしまいます。

オランダ料理ではないけれど、旧オランダ植民地のインドネシア料理も、ヨーロッパではここが本場です。店数も断然多く、料理はライスターフェルといって、一人前に一〇種類以上の料理を次から次へとテーブルに並べてくるので、いい気分です。それでも、本場よりかなり簡素化されたものですが。かつて私がインドネシアのサルタン（王のような存在）にご馳走《ちそう》になった時は、テーブルに置く料理を持って来る召使が、ずらりと並んで食堂に入って来たのには仰天しました。あの時は、三五皿くらいまでは手をつけた記憶があります。

アムステルダムで見ておきたいのは、ダイヤモンド。当地は『アンネの日記』で知られているように、ユダヤ人が住んでいて、ダイヤ関係に携わっている人が多かったのです。ダイヤの産地は南アフリカ共和国ですが、アムステルダムはダイヤの研磨が盛んなのです。

世界最大のダイヤの原石「カリナン」三〇二四・四分の三カラットが南アフリカ共和国で発見されたのが一九〇五年。時の政府は、英国の王にプレゼントしましたが、それをカットしたのがアムステルダムのA社で、九つのダイヤモンドに分けて研磨したのです。そのうちの最大ダイヤは五一六・二分の一カラットで王笏《おうしゃく》に、二番目のは三〇九・一六分の三カラットで王冠に飾られ、現在これらはロンドン塔で見られますが、A社にはレプリカが飾られています。レプリカには興味がないけれど、この大きさを見れば、己《おの》が収入で買える程度の小さなダイヤにはまったく所有欲がわかなくなり、大変に経済的な結果になります。しかし買いそうな客を装《よそお》えば、本物のかなり大きいダイヤを見せてくれるから目の保養になるのでおすすめです。

日本ではかつて、色付きダイヤの値は高くなく、黄色がかっていればイエロー・ダイヤなどと軽んじていたのに、ここではその名も美しいカナリア・ダイヤと名づけて、高値がついていました。ピンクっぽいのもありましたが、こういうのは希少価値なのだそうです。まさに価値観の違いでした。形もいろいろあり、注文のカットでハート形などもありました。これだけダイヤの色や形を豊富に見られる所はあまりありません。

ダイヤについての私のアドバイスは、第一に、財産としてダイヤが欲しいなら信用のある一流店で大きい石を買うこと。第二に、安く買って得をしようなどと考えるのはやめること、です。第三には小さなダイヤをあしらったアクセサリーが欲しいということなら、自分の気にいったデザインを見つけ、ダイヤの値は考えずデザイン料と自分の満足料の値段、と割り切ることです。

日本とオランダは一六〇〇年からの付き合いですが、この国の陸地の面積が北海道の半分より小さいと聞けば、「まさか」と声を上げる人が多いでしょう。

オランダの面積の発表法は陸地だけとか内海を含むとか、海面水位七メートル以下は含まずとかいろいろあり、一九九三年の陸地面積は三万四〇〇〇平方キロメートルなのです。わざわざ年を表記したのは、海水を堰《せ》き止めて干拓し陸地にして、ふえることもあるので、その当時の面積として正確を期したからです。しかしこの二〇年、陸地は拡大していません。なぜならば、海を干拓することは生物の生態を破壊することになり、前女王も現女王も反対のご意見をお持ちのため、今のところは自然の現状維持というわけなのです。

オランダの正式国名はネーデルランド（低地）王国です。国名に低地と名づけるほど、国土の広い部分が海面より低い。もし北海との間に堤防がなければ国土の四分の一が水につかり、五メートルの高波が押し寄せれば、国土の三分の二が水に覆《おお》われてしまうのです。

そこでオランダは海に堤防を築き、内海の水を堤防外に排出し、干拓地を造りました。国内の低地に盛り土した土手を網の目のように造り、そこに海面の水位に等しい運河を通し、低地の水を汲《く》み上げて運河に流し、その水を海に捨てたのです。オランダ名物の風車は、このために活躍しました。風力で低地の水を水車が汲み上げていたのです。一

風車のある風景

見絵のような風物も、実はオランダにとって重要な設備だったのです。今は石油を使って、ポンプで汲み上げています。こんなに切実で必要にせまられて造った運河も、アムステルダム近郊だと、日曜日など大人も子供も泳いだり釣りをしたり、船を走らせたりしてレジャーの格好の場所になっています。運河は一段と高い場所にあるから船が高地を走っていて、慣れない人が見ると奇妙な光景です。

アムステルダムから一五キロほど北の、ザーンセ・スカンスにはオランダ版「明治村」があり、一七世紀の風車がまわっていました。

風車内に人を住まわせ、国が給料を支払っているのです。

風車の羽根に張る布は、風力や用途によって布の面積が異なるので、住人は毎日まめに面倒をみなければなりません。羽根の長さが二三メートルもあるのですから、住人は上ったり下りたり、布を巻き込んだり半分開いたりと、かなりの労力を要します。ここでは水の汲み上げでなく、風力でうすをまわしピーナッツをつぶしオイルを搾《しぼ》っていましたが、製品は売っていました。

木靴屋では製造のかたわら、博物館と称し一七世紀に履いていた底に穴のあいた木靴や、結婚式に使った彫刻のある木靴などを見せていました。木靴は歩く場所にもよりますが、一〇週間くらいですり切れてしまうので、オランダでは年間三〇〇万足ぐらい作るそうです。オランダ人が木靴を履いたのは湿地だったからですが、革靴より足に良いそうで、オランダ人でなくても履いている人はたくさんいます。

木靴は飾り物にもなり、爪先《つまさき》側に土を入れ花を植えて、外壁に掛けている家も見かけました。私の母も、子供用の赤い木靴を玄関のドアにかけ花を生けていましたが、可愛《かわい》らしいムードをかもし出していました。

ボートで運河を通った時も、橋を上げ下げする番人がチップの受け取り用にひもに吊した木靴を下ろしてきましたが、それが可愛らしくてつい、いい気分でお金を入れてしまいました。

オランダ人はけちというのが一般論ですが、私は合理的な人達だと思います。英語でダッチをつけると、しっかり者でけちの類《たぐい》になる言葉が多いのですが、例えばＧＯ ＤＵＴＣＨとかダッチ・アカウントは割り勘のこと。皆で一緒に食事をしても気遣いがなくて結構ではありませんか。ダッチ・ドアは一つのドアが上下別々に開くようになっていて、外の人と相対する時は上半分、風通しや犬の出入りには下半分を開けておくのです。私も家を建てる時には是非これを用いようと思っています。経済的というのは頭を使って無駄をはぶくことなのです。有名なダッチ・ワイフはむし暑い夜に寝る時に使う籐《とう》で作った長い筒のようなもので、これを横においておけば涼しいし、手足をのせたりできて楽なのです。北欧人が熱帯で過ごすための知恵で生まれたのでし

釣り竿につけた木靴にチップを入れる

よう。

レジャータイムがたっぷりあったらオランダの運河を船でまわるのも一味変わった旅になります。

運河の跳ね橋の下をくぐる船

NAPOLI
ナポリ　イタリア

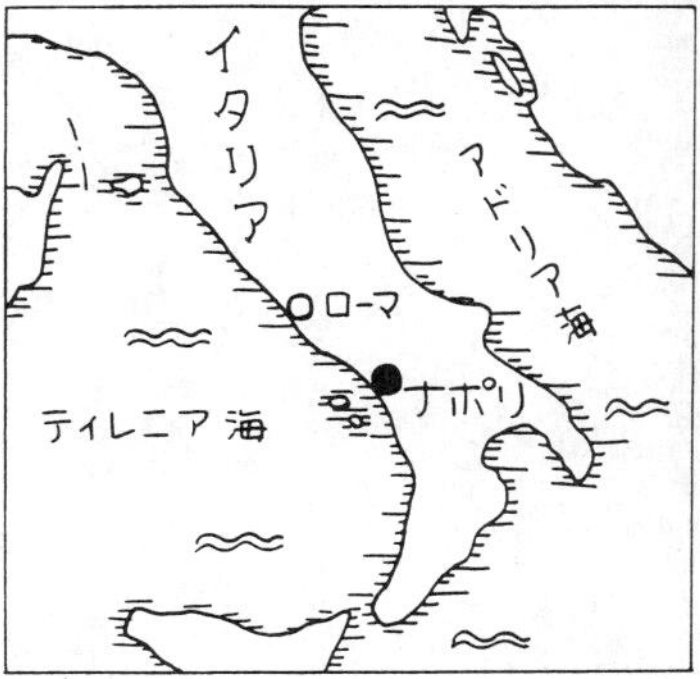

ナポリというと、「スパゲッティ・ナポリタンのあれ?」という食欲旺盛《おうせい》型や、「ナポリを見て死ね、という言葉はナポリを見ると死ぬの?」なんて心配そうにおっしゃる可《か》愛《わい》らしい世代人口が増えてきて、一瞬どぎまぎさせられることもあります。でも、ナポリと聞くだけで、『サンタ・ルチア』や『オー・ソレ・ミオ』の曲の調べが頭の中に広がる世代も、まだ健在です。風景美とカンツォーネのメロディーで世界にその名を知られたナポリですが、多くの日本人観光客は一泊ぐらいしかせずに、カプリ島やヴェスヴィオ火山の噴火で埋もれたポンペイの遺跡に行ってしまい、ナポリの印象は汚い街、観

光ずれした人の街、のようになってしまいました。

私が初めて訪れた一九五九年も、決して「美しい」という印象はありませんでした。下を見れば道路にごみ、上を見れば古びた建物の窓から突き出た竿《さお》に洗濯物がひるがえり、太ったおばさんが子供を大声で叱《しか》りつけていたりして、麗《うるわ》しのナポリを思い描くにはほど遠い光景でした。

夜は広い並木通りに、ペリパテティカ（街娼《がいしょう》の粋《いき》な呼び方。ギリシャ語で、古代、アゴラ〔広場〕で人々の間を歩き回り、本を読みながら教養を広めた人たちのこと）があちこちに立っていました。陽気な女性たちで、私が声をかけると、気軽に話に乗ってきたりしたものです。夜の道を歩いてきた小娘（私は大人のつもり）に、親近感を持ったのかもしれませんが。私が日本人とわかると、「たくさん日本のフレンドがいるのよ」と言って、ハンドバッグから厚さ二センチくらいにたまった日本人の名刺を見せてくれました。何と大学教授の多いこと！　腰が抜けるほど驚いたのは、世界的に著名な学者の名もあるではありませんか!!

しかし各々方《おのおのがた》、ご安心召されい。私は口が裂けても名は公表しません。ええ、忘れたとでも申しましょう。四〇年近くも前に海外出張できた方たちなのですから、相当にお偉い方々でしょうし、今はあの世にいらっしゃるかもしれない方々の、素直で生真面目《きまじめ》な行為（ペリパテティカに私はこういう者ですと名刺などを渡す）を私は尊重するのです。

「彼らはいい人たちだったわ」と言いながら、名刺をハンドバッグに入れたとたん、仲間の呼び声に彼女は大慌《おおあわ》てで「ポリス！」と言って逃げて行ってしまいました。やっぱり楽なビジネスではなさそうです。ローマでも、スタッフがペリパテティカに話しかけてみましたが、口もきかず彼に視線もむけず指先を立てて「ノー」のジェスチャーをされて、にべもなかったのに比べると、ナポリの彼女たちは人間味がありました。

海辺の街らしく、歩道では新鮮な貝類を売っていて、殻をむいて客に味見をさせ、売っていましたが、私は相変わらずただ食いです。ムール貝の強い潮の味が、日本よりも海を感じさせました。

サンタ・ルチアでは、中世に建てられたカステル（城）・デル・オヴォを対岸に見る海辺のレストランで、名物のスパゲッティ・ボンゴレを食べたのですが、この時のウェイターは陽気で親切で調子がよかったこと！

「日本とイタリアは、同盟を結んでいた仲間同士。あの時（第二次大戦）、テリブル・アメリカンが物量で戦いに加わらなければ、勇気ある日本人と共に私たちが勝っていたのに」などと日本を持ち上げ、気をよくして翌日も出かけたら、私たちの後ろのテーブルのアメリカ人たちに、「あなた方のお陰で、私たちに平和と今日の繁栄があるのです。ウェルカム・アメリカン！」などと嬉《うれ》しそうな声を上げてワインを注いでいるではありませんか。

聞いていた私は目も口もまぁるくなったまま呆然《ぼうぜん》、唖然《あぜん》、憮然《ぶぜん》。しかし客商売とはかくあるもの、客を気持ちよくさせ、楽しく食べてもらうのがウェイターの技術なのです。これは駆け出しの私が世界の取材で教わったマナーのレッスンのひとつです。もっとも、アメリカ人を嬉しがらせれば、私たち日本人では及びもつかないチップが出た時代でもあったのです。

ボンゴレは小さなあさりのような貝で、ここで名物なのは、目の前の海の生《い》け簀《す》にいる新鮮なのを用いるからです。

キッチンに入ってスパゲッティ・ボンゴレの作り方を見ていたら、いとも簡単。鍋《なべ》にオリーブ油をだぶだぶっと入れ、ほどほどに熱したらみじん切りのにんにくを入れ、こげ色のつかないうちに一握りぐらいのボンゴレを殻ごと入れ、白ワインをふりかけてふたをします。貝の殻が開いたら、ゆで上がりのスパゲッティを入れて塩こしょうをふり、混ぜるだけ。なぁんだ、と思うほどあっという間にでき上がりです。

ただ、スパゲッティは注文があるごとに深い鍋でゆでるのですが、シェフがいちいち、鍋からつまみ出しては指で触ったり、口に放り込んだりしてゆで具合をみていたのが不思議でした。プロなら長年の経験で何分ゆでればアルデンテ、とわかると思っていたのですが、そんな計算どおりにいくものではないのだそうです。

「ナポリを見て死ね」とは、死ぬ前にあの美しいナポリを一度は見ておくものですよ、の意味です。事実ナポリは美しい。

海を抱きかかえるようにある丘陵の都、そして対岸にそびえる雄大なヴェスヴィオ火山。美しい自然がそこにあるのです。近郊にもナポリに劣らぬ名所があり、ナポリから二〇キロほど西のバイヤには、ローマ皇帝ネロの生母の別荘跡があります。

ネロの母アグリッピナは、クラウディウス皇帝の二番目の妃《きさき》で、彼女の前夫との息子で連れ子がネロでした。彼女は夫の皇帝を毒殺して、息子ネロを皇帝にしたものの、後に不和となって毒殺されたのです。バイヤにあった別荘は、アグリッピナが身の危険を守るために来ていた所であり、伝説によると殺されたのもこの別荘です。別荘は蒼《あお》き地中海を見下ろす高台の斜面にあり、温泉もありました。眺望よし、気温・天候よし、食べ物・ワインよしで、もしかしたら露天風呂《ぶろ》で一杯やっていたかもしれない、などと日本人的想像をしてしまいました。

ナポリに近いポッツォーリの街には、沈下したローマ時代の神殿に温泉の湯がたまり、湯気の中に大理石の柱が建っていて妙です。この湯の水面は地中の変化で上下するので、柱が半分も湯の中につかっていたこともあるそうです。

この街の港では大きな露天魚市が開かれ、生きている貝の各種はもちろん、木箱の中でイカが泳いでいたり、タコにいたっては八本足を使って木箱から遠出としゃれていたのもいました。

ナポリから南三五キロ、船で三〇分も行くと歌でも知られているカプリ島があります。初代ローマ皇帝はここに別荘を建て、亡《な》くなる四日前にも来ていたそうですが、皇帝の妃の、これもまた連れ子で、後の皇帝のティベリウスも、ここに別荘を建てました。

私が初めて訪れた時はスウェーデン人やイギリス人、アメリカ人の別荘が深く澄んだ海を見下ろす崖《がけ》の上にあり、プライヴェイト・ビーチと称する海辺に白いヨットなどが係留されていて、欧米のリッチのスケールの大きさには、とても日本人は追いつけないと思ったものです。

こんなに人々を魅了する絶好の場所だから、地中海を制する者はナポリを放ってはおきません。過去二五〇〇年にわたって、多くの異文化の人たちが入れ替わり統治し合ったので、ナポリは多国家的、多文化、多くの階級が存在した結果、ヨーロッパで最も神秘的、不可思議の都とさえ言われるのです。言い換えればエキゾティックで底なしの魅

港の露天市の魚売り

力のある都なのです。これもサルバドル・ダリ曰《いわ》くの、「ミックスはワンダフル」の一例でしょうか。

どんなにミックスか、簡単に歴史順に列挙してみると、まずはギリシャ。そもそもナポリという名はギリシャ時代に新都市、すなわちネオポリスと名づけたのが由来です。紀元前六世紀のことですが、その時代に建てたアゴラの大理石の柱が、今も二本建っています。

そしてローマ、東ゴート。ビザンティン時代には、異教徒のサラセンとも交流し、文化が入ってきています。一二世紀には、シシリー島にノルマン人の王国が築かれ、その統治下になりました。ノルマン人といえば、元はスカンディナヴィアの人たちでヨーロッパを南下してきたヴァイキングの末裔《まつえい》です。

次はドイツのホーエンシュタウフェン朝。シシリー王国の姫君が結婚したドイツ人の王やその息子は、ドイツよりも南イタリアに熱中し、一二二四年にナポリ大学を創立しました。しかし男子相続人がいなくなり、一三世紀にはフランスのアンジュー家の統治となります。海に近い所にある巨大な砦《とりで》風の城カステル・ヌオーヴォは、この時代に建てられたのですが、当時は海上だったそうです。一五世紀になりスペインのアラゴン王国の支配になった時、アンジュー家に忠誠を誓っていた貴族たちが、アラゴンの王の暗殺を企てているのを知り、貴族の息子の結婚パーティーをこの城で催させ、アンジュー

ナポリ旧市街の住宅地

派貴族を招いて皆殺しにした歴史もあります。

　再びフランス、スペインと支配が続き、一八世紀初頭にはオーストリアが領有し、その後、再びフランスのものになり、フランス革命でナポレオン時代になると、ナポレオンの兄ジョセフが王になって近代化し、その後もいろいろあって、一八六一年に新しく建設されたイタリア王国に統合され、今のイタリア共和国の第三の都市と相成ったという次第です。

　すったもんだがありました、というのは、こういう都の歴史をいうのです。これに比べると、他の地域の一、二回の占領地、植民地経験などは赤ちゃんみたいなものです。政治的発言とみなされると困りますが。

　そんな歴史が残したナポリの旧市街（元新市街）は、中世期の石造りの建物の博物館ともいえます。多いのは教会、修道院、それに貴族の豪邸。豪邸は現在、何世帯もが住み込んでいて、洗濯物がベランダや窓から吊《つ》り下がっていて、時代の変化を目《ま》の当たりに見ますが、教会は今も信仰深い人たちによって守られていて、観光客や中世ルネサンス、バロック、ロココの時代別建築のツアーなどで、ナポリのために収入を稼いでくれています。さすが建築の町で、一九五九年に私が行ったときは、ナポリ駅が斬新《ざんしん》で見事なのでうなってしまいました。私が目をつけていたイタリアの建築家ネルヴィがデザインしたものだったのです。


　ナポリの大晦日《おおみそか》は特筆ものです。年末には大鰻《おおうなぎ》を食べる習慣があるので、市場や歩道で大鰻が高値で売られていました。

　ぬるぬるするのでナプキンで押さえつけ、太くて大きいのを、はさみで四センチくらいのぶつ切りにして

大晦日に鰻を調理する主婦

小麦粉をつけ、フライパンで焼くだけですが、焼きたてを、その名も「キリストの涙」(ラクリマ・クリスティ)という白ワインを飲みながらいただいてみると、毎日食べているこってり料理と違って、あっさりとしていて日本的な味でした。

結婚したい人はこれを食べると相手が来年中に見つかり、子供の欲しい人は来年中に恵まれる、という謂《いわ》れがあるそうです。しかし若い女性には、活発に動き回る鰻を捕まえて、輪切りにするのは至難の技になったようで、料理をしてくれたおばさんは嘆いていました。ここにも時代の変化の波が来ていたのです。

ナポリ唯一《ゆいいつ》の英国布地製ネクタイ専門店マリネラは、店の外まで客があふれていました。大晦日のプレゼントを買う人々なのです。ナポリ人に限らず、有名人やしゃれ者が、自分の体型に合わせて何十本も一度に注文する店なのです。店の前を通りかかった時主人の老マリネラさんが素晴らしい笑顔で立っていて、私を見ると英語で話しかけ、あげくはランチをご馳走《ちそう》したいと申し出られました。私が時間がないからと婉曲《えんきょく》に断ると、彼は満員の店の客に「閉店です」と言って出て行ってもらい、「さぁ、すぐ食べに行きましょう」ということになったのです。家長の権威を持って家族と従業員を招集すると、丘の上のレストランに連れて行ってくれました。

年末になると、町は農閑期の農夫がバグパイプのような羊の皮でできたサンポーニャという楽器を吹いて、小銭を稼ぎに来ますが、この食卓にも呼んで奏《かな》でてもらい、マリネラさんは多額の年越し金を与えたので、農夫は心からの感激の気持ちを表していきました。マリネラさんは心臓がわるいらしく、こんなに食べたりのんだりしてはいけなかったのでしょう。かたわらの老妻が心配気に薬を彼に手渡していたのが私には気になりました。

夕暮れに、私やスタッフが店に行くと、老マリネラさんは片っ端から私たちにネクタイやハンカチーフなどをプレゼントしてくれました。現在の経営者は長男なのですが、ちっとも渋い顔をせず、老父のすることを笑顔で見守っています。何と素晴らしい父と息子でしょうか。

老マリネラさんはこの夜、ニュー・イヤーズ・イヴの食事に、自分の甥《おい》の家に招待してくれました。行って驚いたのは、海際《うみぎわ》の豪華マンションで、広い石の階段を上って大きなドアを開くと、そこは美術館ではなかろうかと思うほど壁に、暖炉上に、机上にと、画や置き物が飾られていました。高い天井のいくつもの部屋に親戚《しんせき》一同、幼児から老人までが集まって、食べて飲んでしゃべって騒いでの、南イタリアならではの大家族の温かさが感じられました。

ナポリにはこの夜、大変な習慣があるのです。花火を所構わず打ち散らすのです。このマンションの窓からも花火を飛ばし、時折通る車にも花火をぶつけます。下ではごみ箱が燃えていました。私は街の中で、この様子を取材したいと申し出たのですが、ガイドは「危険なので行かせない、私は絶対に外を歩かない」と表情を硬くしガンとして拒否したのです。

実際、翌朝一月一日には、路上で骨組みしか残っていない焼けただれた自動車を二台、発見しました。本来ならガレージに入れるか、遠くに置いてくるべきなのだそうです。老マリネラ氏が招いてくださらなかったら、私は無謀にも外歩きをしていたでしょう。髪の毛ぐらい焼いていたかもしれません。

彼のお陰で無事だったのみならず、ニュー・イヤーズ・イヴの、あの温かい家族団欒《だんらん》に交えてもらった思い出は、生涯忘れられないものとなったのです。

NEW ORLEANS
ニューオーリンズ　アメリカ

一七七六年に生まれたアメリカ合衆国には、ヨーロッパのように近世半ばに至るまでの華々しい文化の歴史の跡が残っていません。それが故《ゆえ》に、アメリカには文化がないなどと言われているのですが、ルイジアナ州ニューオーリンズは、国内においておそらく最も異色の文化と歴史のある街です。文化度は食でも表されまして、ニューオーリンズ市はアメリカのグルメの里、食はニューオーリンズにありと言われているのです。それはルイジアナが元フランス領で、その首都であった頃の遺産なのでしょう。

観光客の一日は、まず朝食から有名なレストラン、ブレナンスに案内されます。ただしまったくフランス的ではありません。フランス朝食はカフェ・オ・レとパンだけなのに、ここはヴァラエティに富み、量が圧倒的なのです。オムレツなどは大きな楕円形《だえんけい》のお皿が見えなくなるほど、ふんぞり返っているのが盛られてきます。テーブル脇《わき》でギャルソンが料理してくれるのは、バナナを油で焼き、ブランデーをさっと振りかけ青い炎の上がるデザートです。テーブルの上にはシャンパンのグラス。細かいバブルが「今日も朝から酔い心もちで楽しく過ごしましょうね」とばかり揺らめいています。この名物朝食にありつこうと思ったら、前日に予約しなくてはなりません。しかも一時間ごとに交代といったものすごさなのです。

　ランチはクレオール料理。クレオールとはいろいろな解釈があって、「私はクレオール」という場合は、熱帯フランス植民地で生まれ育った白人で、主にフランス系人。料理ならスパイスが効いていて、本土フランスものが洗練された味というなら、クレオールは野趣的なものといった感じ。ルイジアナは海老《えび》、蟹《かに》類が豊富なので、これらにたっぷりとスパイシーな味つけがしてあります。野菜もオクラを入れて煮込んであるので、べったりこってりといったものです。

　私はその土地の料理、野趣的な味も大好きです。残念ながら当地ではこれという味に出会いませんでしたが、クレオールで思い出に残ったのはフランスの海外県、インド洋上のレユニオン島のクレオールの家庭で食べた家庭料理でした。唐辛子もしょうがもすりつぶしてまぜ、複雑でエキゾティックな味なのです。今手許《てもと》の一九六二年に行ったニューオーリンズのレストランのメニューを見ているのですが、ゆで蟹一ダースが二ドル、牡蠣《かき》フライ一ダースにフレンチ・フライがついて一・二五ドル、鱒《ます》一尾のフライが二ドルです。当時の一ドルは三六〇円でしたが、それにしても安かった。アメリカは今でも食事は安いのです。こういうところを日本も見習ってほしいものです。すぐれた統治者の国なら、人間の生活に基本的な要素である食と住が安価なのです。

ディナーは当地のみならず、国中に知れ渡るレストラン・アントワーヌ。レストランの王者と誇るのですから、行かなくてはならない気分にさせられます。創業一八四〇年、広いダイニング・ルームの他にたくさんの小部屋もあり、収容六〇〇人という大きなレストランで、壁には訪れた名士の写真がずらりと飾られ、アメリカ大統領はもとより、ヨーロッパの王様、ウインザー公夫妻（もとイギリス王エドワード八世で、一九三六年に王位をすてて、離婚歴のあるアメリカ生まれのシンプソン夫人と結婚しウインザー公となりました。何だか似たような話が再び起きるかも）、各界のスターと、それを見てまわる客を威圧します。いや貴方《あなた》もこの方たちと同じ所、同じ料理を食べるんですよと名誉心をくすぐっているのかもしれません。

フランス料理ともあれば、ワインは欠かせません。このレストランのワイン・セラーの大きいこと！　埃《ほこり》をかぶった年代物のワインが、ずらりと鎮座ましましていました。

メニューも英語など書いていません。住所まで「リュ・サンルイ・ヌーヴェル・オルレアン・ルイジアンヌ」と旧フランス領調なのです。ギャルソンも強いフランス語訛《なま》りの英語で、客に料理の説明をしていました。この店の名物コーヒーはカフェ・ブルロ・ディアボリック。ブラック・コーヒーにスパイスと燃えるリキュールを混ぜたもので、フランス調というよりニューオーリンズの味といったものです。どれもこれも決して高価ではありません。一番高いと感じるのはチップかも。聞くところによると、高級レストランの給仕は給料よりもチップで生活しているというのですから、必ず総額の一五パーセントは最低額として払うこと。その一五パーセントの計算に手間取ったり、もったいなさそうな顔をして渋々と払わず、さらりとごく当たり前のそぶりで、数枚の札を置くことに慣れることが肝要です。

味？　味とは個人差で、体調その他の条件も加わるから何とも言えません。

またもやダリの言う「ミックスは素晴らしい」に登場してもらうことになります。それはこの土地の人と歴史です。ミシシッピー川を下ってきたフランス人探検家ラサールが、古くからインディアンが住んでいた流域をフランス領と宣言したのが一六八二年。まことに勝手な話です。そして当時のフランス王ルイ一四世の名を取ってルイジアナと命名し、三〇年足らずのうちに、河口から一八〇キロ川上のぐんと湾曲した上流から見れば右岸に、またもや当時のフランスの摂政《せっしょう》オルレアン公の名を取って、ヌーヴェル・オルレアンという名の街を創建したのです。祖国は遠く、物資不足、ハリケーン、蚊の大発生する湿地帯や沼などの悪条件の大工事でした。小さいながらも平行四辺形の計画都市で、これが現在のヴュ・カレ（フレンチ・クォーター）です。当時の住人は、カナダの辺境あたりから出てきた白人、駐屯兵、囚人、黒人やインディアンの奴隷《どれい》、あやしげな女たちなど約五〇〇〇人だったそうです。

一七二二年ルイジアナの首都になったものの、一七六二年には、何とフランス王はいとこのスペイン王にルイジアナを譲ってしまったのです。命をかけて探検したり建設したりした人たちの苦労も、王宮住まいの方たちには痛くもかゆくもないのです。スペイン領時代になると、スペインの法律の下、住民に平和と繁栄がもたらされました。何しろこの譲渡で、スペインは統治していたアメリカ西部を加えると、今のアメリカ合衆国の西半分と南のメキシコ、南米へとの広大な地域に君臨していたのですから、たぶん細かいことも言わず、それこそ規制も法律もおおらかだったので、住民はやりよかったのでしょう。

そして一七七六年、アメリカ独立。

ところが一八〇〇年、フランスのナポレオンが秘密裏にこの土地を取り戻し、一八〇三年にアメリカ合衆国に売ったのです。ニューオーリンズはフランスからスペイン、そしてアメリカ領となったのです。一八一二年から蒸気船が運行し始め、黒人奴隷の労働で綿や砂糖の生産が豊かとなり、ニューオーリンズは世界第四位の港を持つ都市に発展しました。そしてドイツ人、アイルランド人などの移民が大勢きて、先住のインディアン、ラテン系ヨーロッパ人に黒人、そして北欧系の白人が加わってのミックスの文化となったのです。

　時代は常に変化するもの。蒸気船をしのぐ鉄道時代がやってきたのです。この頃を舞台にしたのが古き映画ファンには忘れられない『サラトガ本線』。イングリッド・バーグマンの美しかったこと！　身分低い娘だったがパリで洗練され、ニューオーリンズに帰ってきて、上流社会への復讐《ふくしゅう》をと、鼻をつんと上向きにしてお高くとまったそぶり。とてもアメリカ的ではありません。といってヨーロッパ的でもないのです。これ

ミシシッピー川を航行する外輪船

がニューオーリンズの雰囲気というものだったのでしょう。

このヨーロッパでもないアメリカでもない街が、ヴュ・カレです。現在の建物はほとんど一九世紀初頭のもので、様式はフランス植民地式と西インド諸島のスペイン式のミックスで、これもクレオール建築などと呼ばれていますが、特徴はレース状の鉄細工で飾られた二階のベランダです。通りに面してずらりとこの美しいベランダが並び、ベランダには花鉢などが吊《つ》られ、通りをさらに美しく見せています。

ベランダが作られた理由は、ニューオーリンズが亜熱帯であり湿気が多いため、人々はベランダから風を入れ、ベランダで涼んだのです。もちろんここから通る人々を観察して噂《うわさ》をし合うのも楽しみのひとつだったでしょう。ベランダの鉄細工は各自が独特のデザインに凝って、花模様やぶどう、曲線の美などといろいろあり、当時の黒人職人の手作りだそうです。ある一軒家は、門と塀《へい》をとうもろこしデザインの鉄細工で飾っていました。これは一八三四年にフィラデルフィアで作らせたものです。蒸し暑い土地のため、風通しや目への涼しさを求めて中庭があり、うっそうとした緑の木々や噴水が備わっています。これは南スペインの影響でしょう。南スペインもサラセン文化の影響ですから、これもミックス文化です。

古い街だけに、いろいろと曰《いわ》く因縁の家々もあって、そんな所を歩いて見てまわれる

フレンチ・クォーターのレースで縁取りをしたような瀟洒な建物

のも、アメリカとしてはユニークです。
　ナポレオン・ハウスは今は階下が飲食店で、二階の屋根の上に小さな見晴らし部屋のある家ですが、人々がこの小部屋から望遠鏡で覗《のぞ》きつつ、今か今かと見続けていたのが一八二一年。ナポレオンを乗せた船を待っていたのです。アメリカ領になったとはいえ住民の心はフランス。海賊に依頼して大西洋の孤島セント・ヘレナに流されていたナポレオンを奪回させ、ニューオーリンズへ連れてくる手筈《てはず》を整え、この家に迎えるつもりだったのです。しかし運に見捨てられたナポレオンは、このチャンスを待たず生を終えていたのです。この年の五月五日のことでした。

やはり一九世紀の前半、この近くに美貌《びぼう》と才知にすぐれていたラロリー夫人が住んでいました。社交界の花形でしたが実は病的なサディストで、奴隷を屋根裏に鎖でつなぎ、階下でパーティーなどをしていてもぬけ出しては屋根裏に来て奴隷の首を吊ったり傷つけたりしていたのです。ある時、キッチンが火事になり逃亡した奴隷が捕まりました。「あの家に戻すなら殺してくれた方がいい」とつぶやいたのをきいた人が問題の屋根裏に見にいくと、血だらけでやせ細った奴隷たちが鎖でしばられているのを発見したのです。この家は後々まで苦しみの悲鳴がきこえていたといわれていますが、現在の石造りの家はラロリー夫人と関係ない人が住んでいます。

おばけの出るという家にも呼ばれて、いそいそと行ってみました。三階建ての邸宅で、召使の家は別棟になっている豪邸です。一八八五年に裕福な弁護士が建てたのですが、その後家具調度品、シャンデリアもばらばらに売られ、荒れるがままになっていたのを、今の主人、キャリア・ウーマンのB夫人が買い取ったのです。見事な手作りの重厚なこの屋敷を彼女は元の姿に戻すべく、売られてしまった調度品の行方を追うほどこの家にいれ込んでいるのですが……。この家を建てた弁護士には一人娘がいました。しかし七歳の時に突然の肺の病で急死、母親はそれから気がおかしくなってしまったのです。その後この家では、娘の遊んでいる声、足音、三階の屋根裏部屋で何かを探している音などが聞こえてくるのだそうです。私が行った時も、三階はまだ開かずの扉が閉ざされたままでした。B夫人の息子がある夜遅く忍び足で帰ってきたら、聞いたことのない女の声が「鍵《かぎ》は閉めましたか」と問いかけてきたそうです。さすがに現代アメリカ人青年といえどもぞっとしたそうです。古い土地には、今の科学では解き得ない何かがあるものです。そこが何とも言えない歴史を感じさせるではありませんか。

ニューオーリンズは黒人の文化なしでは語れません。ヴードゥーは西アフリカから連れて来られた黒人たちが持ってきた宗教で、ハイチで盛んに信奉されています。当地もハイチと遠くなく、やはりフランス系の交流からでしょうか、ルイジアナはアメリカ国内のヴードゥーの最も盛んな土地なのです。精霊、悪魔、おまじない、タブーといろいろあって、簡単に理解も説明もできるものではありません。

ヴードゥーの祀《まつ》りごとに使ういろいろな小道具、人形、色付きろうそくなどを売る店が街なかにありました。私は感受性の強い女性とこの店に入ったところ、彼女は自分の腕を抱くようにして、すぐ出てしまったのです。何かを感じて恐ろしいというのです。私はアメリカ南部を思わせるスパニッシュ苔《ごけ》で作った人形などを買って嬉々《きき》とした挙げ句、店の人にヴードゥーの祀りごとをする所に連れて行って、などとナイーヴに頼み込んだりしたのですが、そこにいた鋭い目つきの黒人女の目がぎらりと光ったのを感じて、早々にこの店を出ました。さわらぬ神に祟《たた》りなし、と直感したのです。

夏向きの怖い話ばかりでは、ニューオーリンズのイメイジをデフォルメして申し訳ありません。ここはジャズの発祥地なのです。ヴュ・カレでは、道路でもジャズやタップダンスを演じていて、道行く人々に、ここぞニューオーリンズ、と知らしめています。

初めて有名なプリザベイション・ホールに行ったのは一九六二年。木造の小さな建物で、部屋には板に脚をつけたようなベンチが並んでいました。劇場とか音楽堂なんてものではありません。ステイジもなかったのですから。演奏する黒人も一人ずつ何となくやって来て、仲間と無駄話をして大声で笑ったりしているうちに何となく楽器を持ち演奏が始まるので、聴きに来た人たちはそれまでベンチに座って所在なげにただ待っていました。楽しそうに演奏していた黒人たちは皆老人で、七〇歳過ぎでよぼよぼの痩《や》せた人もいました。聞けばあまり仕事のない大工だとかペンキ工です。好きで集まってプレイするのを、ジャズ好きの客が聴きに来ていたのでした。

何年かして再び訪れたころは、入場料をとるようになっていて、やや時間どおりにプレイが始まったのですが、私には好きな連中がムードの乗った時にプレイするのを聴かせてもらう方が素晴らしかった。例によって昔は良かった、ということになってしまいますが。

ニューオーリンズは「憂《う》さを忘れる街」「歌と踊りとリラックスの街」などとも言われます。それを最大限に見せてくれるのがマルディ・グラです。

リオのカーニヴァルのアメリカ版と思ってください。マルディ・グラとはフランス語で、訳すと脂《あぶら》の火曜日。謝肉祭と訳されているカーニヴァルのことです。キリストが四〇日間、荒野で苦行したことをしのび、イースター（この日は日曜日）から四〇日前（日曜日を除く）の水曜日から信者は肉食や快楽をつつしむことになっているのでその水曜日の前日、火曜日に大いに食べて遊んでおこうというのです。アメリカ一のどんちゃん騒ぎの行事で、市長も警察も参加。観光客も全国からやって来て、ストレス解消にこれ以上の薬はないといったほどにはめをはずすのです。ホテル代もぐんと上昇し、土曜から火曜にかけて四日単位の予約になります。騒ぎに繰り出すフロートは、前年から案を練っています。市民のそれぞれのグループ（クリューと呼ぶ）が七〇近くあり、この日に繰り出すフロートを秘密裏に作るのです。大きな倉庫を借りて、夜な夜なクリューの男たちが集まって案を練り、テーマを決め、調べあげて作っていく。クリューの誇りがかかっているのです。他のクリューの作品を知ろうと、スパイも暗躍しているという話もあります。私が訪れたクリューは、今は滅多に手にできない日本のちりめん本の、ラフ

マルディ・グラのカーニヴァル

カディオ・ハーンの怪談集を参考にして怪奇おばけを作っていました。ハーンはかつてニューオーリンズの住人だったのです。

フロートは白人クリューの「レックス」と黒人クリューの「ズールー」が花形で、毎年この二つがいかに演出するかが、人々の待ちこがれるところなのです。マルディ・グラ前夜、白人レックスの王が夕やみの中をミシシッピー川から上陸するのに対し、黒人ズールー・キングも翌朝、陽の昇る前のうす暗いうちに川から上陸して対抗します。

各クリューがフロートを何台もせり出すから、街のあちこちでフロートの行列が見られますが、老舗《しにせ》の洋品店ルーベンスタイン・ブラザースのベランダが、街の大通りのカナル通りとフロートの通ってくるセント・チャールズ通りの角に張り出しているので、私はそこに陣取りました。店はもちろん休業です。しかしこの日、この場所は絶好の見物場所なので、店主は知り合いを招いて大盤振る舞いをするのです。輸入品がずらりと陳列されている部屋に飲み物、食べ物がふんだんに置かれ、私たちは飲んではベランダへ、食べてはベランダへと、鴨《かも》川の桟敷《さじき》のニューオーリンズ版を味わいました。フロートから〝スロー〟と呼ばれるネックレス、プラスティック・カップ、傘、その他を見物人に投げるので、これを受け取ろうと人々は大騒ぎです。一つずつどころか時には束で投げてくれます。メイド・イン・ホンコンとかタイワンでした。特にズールーの投げる金色に塗ったココナッツは奪い合いで、私もがっちりと受け止めて、今も持っています。幸せをよぶといわれているからです。パトロールやパレードに参加するポリスも、バイクや馬上のままセント・チャールズ通りの黒人系の市長の桟敷の前に整列し、市長の乾杯の声でシャンパン・グラスを上げて飲み干しました。まさか！　もしかして色つきの水かも？

ヴュ・カレは昼も夜も人また人で埋まっています。男たちがエンジョイする店のショーガールは、毛皮をまとって二階のベランダに出てきて、時々ぱっと毛皮のコートを開いて、道行く人々を驚かすのです。何と白き肌のオールヌード！　カーニヴァルは二月か三月の初めですから冬なのです。その向こうを張って、一杯機嫌の若い女性も、セーターをまくりあげて胸を見せて対抗したり、他のベランダでは、くるりと後ろを向いた女子学生が、ぱっとパンツを引きずり下ろして白いまぁるいお尻《しり》を見せたりと、カトリックのシスターが見たら気絶するような大胆な行為があちこちで見られました。

最もアメリカ的だったのは、マルディ・グラの夜一二時、水曜日に入ると、一斉に市の警察と消防車が出動して、汚れた街を横列を組んで掃除していったことでした。翌朝、ニューオーリンズの街はいつものきれいな街に戻り、人々はまだ深い眠りから覚めず、静かなものでした。〝スロー〟で投げたネックレスが並木の枝にぶら下がっているのが、昨夜の騒ぎが夢ではなかったことを物語っていました。

階段のあるベランダ

GUAM
グアム
マリアナ諸島

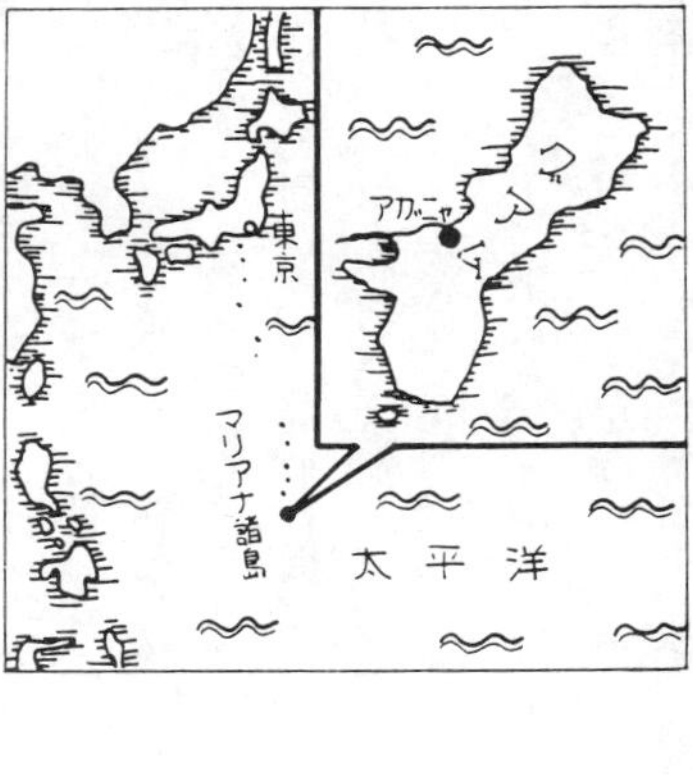

自然で大らかで健康的な田舎娘がいた。妙齢に近づき、人様の前に出るようになってきたので、眉《まゆ》を整えたりして外観をすっきりさせ、指先の爪《つめ》の黒いゴミを取り、清潔さを教え、にっこり笑ってそつなく人を迎えるように仕込んだ。娘はあっという間にその段階を通り越し、美容整形で姿を変えると、フル・ファッションに身を包み、遊びのテクニックをそなえた都会の女に変身した……。女性に例えれば、このような大変身を遂げたのがグアム島です。近くに経済上昇中のミスター日本というパトロンがいたのが拍車をかけました。

リゾート地グアムの繁栄は、一九六七年五月、今はないパン・アメリカン航空（パンナム）が羽田・グアム間を往復一三六ドルという安い航空運賃で飛び始めたのが幕開けでした。私のグアム取材も、その最初のフライトから始まりました。夜中に羽田を発《た》ち、グアム着は朝三時過ぎ。日本に最も近いアメリカに、三時間一五分で着いたのです。今なら新幹線で東京・新神戸間の時間です。飛行場のターミナルは、大きなコンクリートの箱形のビルでなく、高い柱が何本も立ち、その上に円盤形の屋根が付いていて、風通しも見通しもよい近代的南国調でした。

午前四時近くというのに、通関は大きな笑い声と歓声のうちに済み、すぐホテルに向かいました。そこは空港近くの草葺《くさぶ》き屋根のような簡易ホテルでした。そして部屋が用意されるまでロビーで待ち、寝ぼけまなこで入った部屋でようやく一眠りした朝七時頃、大きな爆音で飛び起き、開けっ放しの窓の外を巨大な影がサーッと通っていくのを見たのです。飛行機でした。飛行機を見たことのない未開拓地の人間が、初めて飛行機を見た時の驚きとは、こんなではなかったでしょうか。飛行機がベッド脇《わき》を通るなんて経験したことがありませんでした。

この最初のフライトにはマスメディアの人たち、スター、そして敗戦後何年もしてからグアムで投降した元日本兵の皆川さん、伊藤さんも招かれて乗ってきていました。これを企画したのは、あの大相撲の千秋楽の表彰式で「ヒョーショージョー」で有名だった、パンナムのジョーンズさんです。横井さんはその頃はまだ内陸で穴を掘って隠れ住んでいたのです。

主都アガニャの官庁ビルやその周辺は、さすがにアメリカらしく小綺麗《こぎれい》でした。スペイン時代、総督邸があった所に、珊瑚《さんご》岩で造った橋や噴水跡、塀《へい》などが半ば崩れてあり、グアムの歴史の片鱗《へんりん》を残していました。

グアムの簡単な歴史を復習してみましょう。グアムの住民はチャモロ族といい、放射性炭素の年代決定によると、紀元前一〇〇〇年くらい前にはすでにこの島に住んでいたらしいのです。東南アジアから移動してきた人たちです。一五二一年三月に世界一周途上のマゼランが、永い航海で船員が飢えたり壊血病になったりしている頃、この島を発見しました。彼らが停泊中に、島民が船のボートを盗んだためマゼランは大いに怒り、武装した船員を引き連れ島民の家を四〇〜五〇軒焼き払い、七人の男を殺したのです。そしてこの島をドロボウ島と名づけ、船に戻るとすぐ出航しました。マゼランは翌月にフィリピンのセブ島で殺されてしまいましたが……。

一六六八年、スペインは初めてグアム島に宣教師を差し向けました。宣教師はこの島を含む島々をドロボウ諸島（ロス・ラドゥロネス）とよぶわけにいきません。宣教師を派遣したスペインの皇太后マリアナの名をもらい、マリアナ諸島に変えたのです。しかし

アガニャ市の聖母マリア大聖堂

スペイン総督の島民に対する罰は厳しく、ある時は一人の犯罪者を出した村を全部焼き払ったりもしましたが、やがてチャモロの男をほとんど殺し、チャモロの女をスペイン、メキシコ、フィリピン人などの兵士の妻にしました。そのため今は純粋のチャモロ族はいず、名前もスペイン系が多く、宗教もカトリックが多いのです。

一八九八年六月三〇日、米西戦争の最中アメリカの軍艦チャールストン号が、三箇《こ》中隊を乗せて島の港に入ってきました。まずは港の入口で大砲を一〇発撃ったので、島にいたスペイン人は「何事ぞ」とばかりボートで軍艦にやって来て、そこで初めて両国が戦争中であることを知り、「とても当島は戦える状態ではございません」ということで、いとも簡単にアメリカの占領下になってしまったのです。そして第二次大戦が一九四一年一二月八日に始まると、一両日のうちに日本軍が大した抵抗もなく上陸、約三十二カ月間占領したのです。

パンナム機でどっと訪れた日本人にも、島民は笑顔で迎えてくれました。私に話しかけてきた大男のグアム人は、話の合間に日本語が度々入るので驚きましたが、一緒にいたアメリカ人は違う意味で驚いていました。アメリカが何十年もこの島で教育を施してきたにもかかわらずなかなか英語を覚えないのに、日本がたった三十二カ月で島民にこれだけ日本語を覚えさせたのは、いかなる教育法だったかというのです。

当のグアム人は笑って答えてくれました。

「シナイですよ」

竹刀《しない》なのです。学校で日本語ができないと日本兵に竹刀でたたかれ、それが怖くて、一所懸命覚えたのだそうです。

「怖かったし、痛かった」

と彼は大きな身体《からだ》を揺すって笑っていました。

道で知り合った私を、家に招いてくれた人もいました。彼も話をしているうちにどんどん日本語が飛び出し、私が「あっ、エクスキューズ・ミー」と言ったら「ダイジョーブ」と反射的に答えるのです。

彼は島の南で主都から四〇キロのメリソの住人で、チャンパコさん。訪れてみると家は簡易住宅みたいなものでしたが、庭にはすでに大型冷蔵庫が二つも捨ててあり、キッチンには大きな新型冷蔵庫、オーヴンなどが備えてありました。アメリカ式です。テーブルには大皿に盛ったサシミと白いご飯。日本人の私のためかと思ったら、自分たちも大好きなのだそうです。

そういえば日本は旧南洋諸島（日本が統治していたミクロネシア）の住人にも日本食文化を残しました。住民は日本占領下でなくなって一番残念なのは、ダイフクとおでん、タクアンが食べられなくなったことだと言い、せめて鰹《かつお》の大和煮の缶詰とカリフォルニア米のご飯で日本食を偲《しの》んでいる、と言っていました。もちろん島々ではサシミはお手のもので、山盛りで食べていましたが、ワサビが手に入らないので辛子をつけていました。チャンパコ夫人は見たところ、バスト二メートルといった巨体で、サシミのみならず今朝とってきたばかりという洗面器いっぱいの小魚をフライにし、ステイキも出してくれました。

聞くところによると、グアム島は戦火にまみれるまでは田んぼや畑が緑のカーペットのように島を覆《おお》い、浜では蛤《はまぐり》がいつもバケツいっぱいとれたそうです。その貝も、今は船のオイルなどでとれなくなってしまいましたが、戦後アメリカ政府がグアム人を賃金制で雇用し、時給最低一・二五ドルとしたため、一週四〇時間で五〇ドルが稼げることとなり、労力を要し収入も少ない農業が見すてられていったのです。

漁業はスペインがチャモロ男を抹殺し、兵士上がりの外国人を据えたことで、伝統的な漁法が伝わらず、すたれてしまいました。今はせいぜい自給用にリーフ（珊瑚礁《しよう》）で網を打つか、スピア（もり）で魚を刺すのみです。

アガニャ市のランチタイムには満員になるレストランがあり、私たちスタッフは、せっかく南国に来たのだからとフレッシュのトロピカルフルーツを注文したら、オーダーをとっていた全身に脂《あぶら》ののったアメリカ女性がペンを止め、目をむいて大声で、

「フレッシュ・フルーツだって？　あんたたち、どこにいると思ってるの？」

私たちは一瞬ぽかんとしたのですが、期せずしてまわり中の人たちといっせいに笑ってしまいました。ここは農業などする人がいず、食料はほとんどハワイから輸入していたのです。パンナムが日本に就航したので、せめて野菜だけでも安く手に入ると、彼らは期待していたほどだったのです。私たちはというと、日本よりはるかに安い、ハムの缶詰などをスーパーマーケットで買って持ち帰ったものです。キャンベルのスープも二五セント。当時は一ドルが三六〇円でしたから九〇円です。

醤油《しょうゆ》、梅干、らっきょうなどを売っているスーパーもありました。主人は中国系の人らしく、関東大震災の頃、上智《じょうち》大学に留学していたそうで、日本人並みの日本語を話し、「日本食品は基地にいる日本人妻がよく買いに来る」と言っていました。

チャモロ料理といっても独特のものは見当たりません。フィエスタ（お祭り）好きというか、集まって食べるのが楽しみというか、いつ訪れても、島をドライヴしていると、声高な朗らかな声と同時に、プーンと漂ってくるバーベキューの香りに出会ったものでした。

フェンス用の金網を火の上に置いて、肉や骨付きのスペア・リブ、とうもろこしをじゃんじゃん焼き、ビールを飲んでいました。アメリカンです。そしていつものごとく、私はありがたく頂戴《ちょうだい》しました。豚の丸焼きも見ましたが、これはフィリピン的だし、年配の女性にきくと、祭りにはスパニッシュ・ライスや海老《えび》、または鹿肉《しかにく》やチキン、ビーフのココナッツ和《あ》えも食べるが、魚や肉にかけるドレッシングは、醤油とレモン、玉ねぎ、唐辛子を混ぜたものだといっていました。ここもダリのいうミックスチャーの良さです。唐辛子の灌木《かんぼく》は野生で生えていました。実は小さくピリリッとしておいしく、小柄で赤い実をたくさんつけた木を、アメリカ人宅では観賞用にしていました。

四駆を借りて内陸に入ってみると、もと家畜で、逃亡して野生化したやせた豚の一団や、水牛の一群がいました。勝手に狩りはできません。私も勝手に入り込んできたのですが、この辺りは個人の私有地なのです。戦時中に所有者記録が消失して困っていると聞いていましたが、とにかく誰かの土地なのです。

タロフォフォの滝

　牛一頭見当たらないけれど牧場という所に来ると、アメリカ軍のタンクが残されていました。戦後二二年も放ってあるのに、ベアリングはさびもせず、まだくるくると回ります。大したものです。日本軍のタンクもありましたが、鉄板も薄くさび朽ちていて、その差はあまりにもひどいものでした。

　ダニにたかられるかもと言われたとおり、米粒のように大きなのに吸いつかれました。でも肉眼で見えるのだから慌《あわ》てません。さらにジャングルへ入って行くと、日本軍が投降拒否して出てこなかったので埋めてしまったというトンネルが、木々の生い茂った中にこんもりと盛り上がっていました。滅多に人の来る所ではないので、蚊の大群のフィエスタ騒ぎとなり、撮影中のカメラマンの腕にワッと飛びついてきたのです。私が懸命になって、風で追い払おうとしたのをものともせず、多数がしっかりとかぶりついて離れませんでした。

アメリカ軍の犬の墓地もジャングルに囲まれてありました。名前不明の墓に造花が捧《ささ》げられていましたが、いつ誰が来たのでしょうか。シルバー、ボーイと名のついた墓など、計二一頭がここに眠っていました。私は辺りから野の花を探し、一本ずつ墓に供えました。人間の戦争に巻き込まれるなんて……。中国に連れて行かれた日本の馬も、墓にまつられているかしら。誰か守っていてくれているかしら。私はスタッフに涙を見られないように、うろうろと歩きまわりました。それにしてもあの横井さんは、私たちが取材に来た車の音や人の声を聞かなかったのでしょうか。

横井さんが削り書いたといわれる木の幹

グアムといえば、今は島のリゾートの目玉のタモンビーチも、当時は南端にイパオビーチというアメリカ人たちが遊びに来る程度の小さな浜のある公園でした。

ビーチの北部を私たちはカメラや機材を頭上に乗せ、撮影場所探しに浅くなったり深くなったりする海を、珊瑚石のごろごろする足元に気を使いながら歩きました。その時に大きな背びれを見せた何かが二匹、悠々と泳いで行くのを近くで見て、鮫《さめ》ではなかろうかと緊張したものです。ほんの数年後に再訪した時は、石も藻も跡形もなく、きれいになっていたのには唖然《あぜん》としました。

当時の島一番の豪華ホテルは、クリフ・ホテルといって、海を見渡せる丘の上にありました。小さなプールがあり、越路吹雪《こしじふぶき》さん夫妻が泊まっていて、私たちスタッフは越路さんにスキューバ・ダイヴィングの特訓をほどこしたのです。

不思議な方で、かなりの鉛のウェイトを付けても浮いてしまい、泳げないというので、ウェイトで沈めてしまうわけにもいかず、手取り足取りで結構楽しいひとときを過ごしました。夜は授業料として、お手製の佃煮《つくだに》サンドウィッチを食べさせてもらいました。「グアムには私が食べられるものがあるかどうかわからなかったから、保存食を持って来たの」という佃煮を、バターを塗ったパンにはさんだだけでしたが、意外にいけることを発見しました。おまけに、食べ盛りでいつもハングリーだった宝塚の寮生活の秘話を話してくれ、皆でベッドや床に思い思いの格好をして聞きながら、笑い転げたのです。大スターなのに無邪気で素直で子供のような可愛《かわい》らしい人でした。

丘の上のホテルの主役の座は移り、海辺が主流となりました。あの何もなかったタモンビーチにずらりと高層のホテルが並び、今や何と日本人だけで約一〇〇万人の観光客を迎えるリゾートとなったのです。一九九三年の観光客消費金額は、一四億ドルを超えました。島の人口も、当時七万人が今は倍の一四万人。面積は淡路島ほどで、人口は淡路島より少ないのです。人間がアイディアと資本をつぎ込めばかくのごとし、の身近な見本です。

今度グアムに行ったら、浜辺で太陽を浴びるのも結構ですが、私たちの祖父が戦ったかもしれない内陸の激戦の跡などにグアムの面影探しもしてみたらいかがでしょうか。

DELHI

デリー　インド

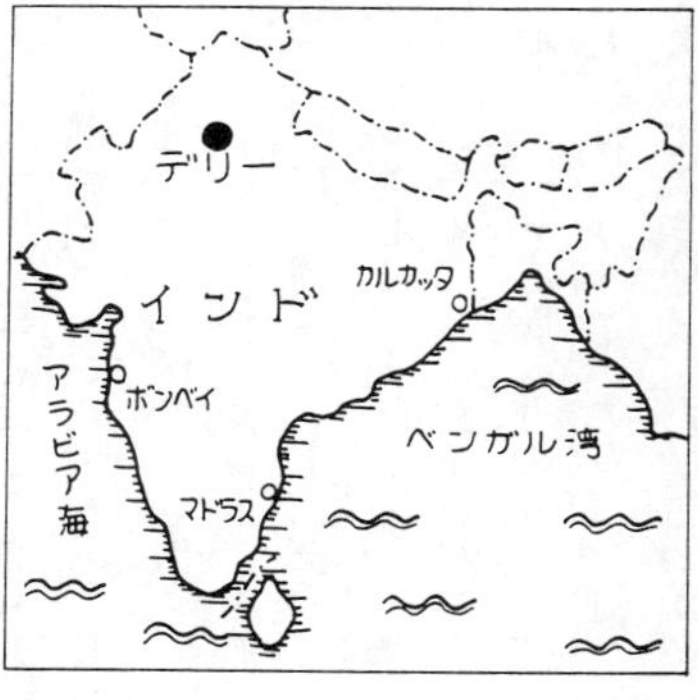

インドを訪れたのは二五年ぶりでした。オーバーに言うなら四分の一世紀もの年月、訪れていなかったところ、たまたま友人がインドに行きたい、噂《うわさ》のサイババを見たいというのでやってきたのです。

まずはサイババの生地プタパルティ村に行き、目下建設作業中といった宿に泊まり、朝、まだ月が出ている五時起きでアシュラムに出かけました。全員、前夜に買っておいた白い衣服を着、安っぽい布の小物入れを首からひもでぶら下げてです。アシュラムで地べたに座って待つこと二時間。幸い、昨夜クッションも買わされていたのが役に立ちました。サイババの誕生日が翌週ということもあって特に参拝者が多いそうですが、一見して、万という人数が座りこんでいました。

すっかり明るくなったころ、サイババはオレンジ色の衣服ではるか前方にちらりと現れましたが、すぐ屋内に入ってしまい、あっけないものでした。友人は「聖灰」袋をしこたま買い込んでいましたが、後で庭内を見まわっていたら、女たちが座りこんで大かごに入った灰を販売用の小さな袋に詰めていました。庭内には白人もちらほら見かけましたが、関係者にきいたら外国人ではここ一、二年、日本人が最も多いといっていました。テレビや本で紹介され、旅行社もサイババ・ツアーを組んでいるほどだからさもありなんということでしょう。私のインド人ガイドはインド北部のデリーから来た男で日本人担当ですが、彼は現在のサイババのことは日本人客から聞いて知ったそうです。

サイババとは救世者というような意味で、ヒンドゥ教の大神のひとつ、ヴィシュヌ神の生まれかわりと思われている人のことだそうです。一五〇年ほど前にインド南部のシルディにも現れたことがあります。彼は病をなおし、人々に善をほどこし、集まったお金で学校や病院を建てたそうで、インド北部でも知れ渡っています。今のサイババも病院や学校を建てているけれど、デリーにあるシルディのサイババの寺院に今のサイババの写真はありません。私はまさか、と思ってことあるごとに今のサイババの写真を見せてきいて歩いたのですが、知らない人が多いのにびっくりしてしまいました。言いかえればインドは広いのです。多人種で言語的多様国家で情報がいきわたらない実情がこんなところでもみられました。

インドを語ろうとすれば〝群盲、象を評す〟という格言がこのうえなく的を射た表現であることを痛感します。

面積は日本の九倍、人口は九億人、人種は公的には約七人種といい、言語は約八〇〇種類。嘘《うそ》八百ではありません、日本外務省の資料引用です。しかも公用語は一八種類と書いてあります。インドのお札には一三種類の文字と共通語の英語とヒンディ語の計一五種類が書いてあるのですが、デリー大学出身という私のガイドも他のガイドも四種類しか読めませんでした。ほとんど左から右への横文字ですが、ウルドゥ語は右から左に読むのです。今回はインドの東部から入国して南、西、北とまわりましたが、空港はそれぞれの文字が書いてあり、それぞれの言葉で放送していました。どっちにしろ私には英語以外はみな同じに聞こえたのですが。インドは映画製作

サイババ寺院

の盛んな国で、全国で上映されるため、主演の役者は最低、五種類の言葉ができないと全国的ファンを獲得できないそうです。

インドの人たちを私たち外国人はひとまとめにしてインド人といいますが、個別にきくと、笑いながら私はアーリヤ人ですという人もいれば、断固として私はベンガル人だ、という人もいます。かつて英国人に、うっかり英語で貴方《あなた》はイングリッシュですかときいたら、私はスコットランド人であると憤然とされたことを思い出しました。英国はイングランドを含め四つの国の集りで、スコットランドはその一つなのです。もちろん、インドと英国は国情が違いますが。とにかく日本国イコール日本語、日本人、という尺度で他の国を知ったつもりになるのは早計ですが、インドに至っては難問中の難問の国のひとつです。

私の世代はインドをひとつの国として習い覚えましたが、それ以前は大小五〇〇以上の王国（藩王国《はんおうこく》）があり、それをイギリスが統一してインド帝国とした後、ひとつの国として独立したのです。「私はインドの王家の血筋で」などという人がいても、広大なインド帝国ではなく、国内のどこかの王家のことでしょう。イギリスがインド帝国と呼んだ地域の一部は、今は仏教のスリランカやイスラム教のパキスタン、バングラデシュとして別の独立国ですが、かつてミャンマー（旧ビルマ）も英領インドの一部でした。

イギリスがインド統治のために首都として建設したのがニュー・デリー。デリー、またはニュー・デリーは同じ都で、北緯二八度三六分だから九州の南、奄美大島《あまみ》あたりの緯度にあります。インドというと暑いと思う人が多いのですが、雪をいただくヒマラヤもあるし、デリーの冬は住人がセーターやオーバー、毛糸の帽子などをかぶるほどです。今回は一一月に訪れたので、彼らは厚手のジャンパーやセーターを着ていましたが、私は半袖《はんそで》の夏服で十分ですから体感温度が違うのかもしれません。

デリーは古い都ですが、最も栄えたのは一七世紀、ムガール帝国のシャー・ジャハーンがアグラから首都を当地に移したころでした。この皇帝こそ亡《な》き愛妃のために今もインドが誇る世界文化遺産にもなった世界第一級の美しい建築、タジ・マハル廟《びょう》をアグラに造らせた人です。彼はデリーにも豪華で壮大な城を造りました。今も残る高い城壁や門が当時の威光をしのばせています。英語ではレッド・フォートと呼んでいるのは、赤砂岩で築かれているので色を塗ったように赤いからです。

城のラホール門の前の通りがチャンドニ・チョークといって、この通りができたころは月の光のように美しく、物資が豊かで繁栄していたそうです。さぞ美しかったであろうと想像できるのは、美の建築を建てつづけたシャー・ジャハーンが、城の前の都大路ともいうべきこの道を、単なる交通手段として利用するだけで満足したとは思えないからです。今も商いや多くの人でびっしりと埋めつくす繁栄ぶりですが、美のかわりに排

チャンドニ・チョーク

気ガスとほこりの通りになっています。

一九六〇年、私はこの通りの路上で売っているスナックを例のごとくタダでもらい、あちこちで食べ歩いていたものです。今回はあまりの人の多さにまともに歩けないほどの人出だったので、輪タク(力車を自転車で引っぱる。東京も敗戦後には皇居前あたりを走っていたものです)に乗って見まわったのですが、この日はちょうど金曜日で、この近くにあるモスクに遠路はるばる大勢の人が参拝にきたためもあったのです。このモスクはジャマーマスジットと呼ばれ、シャー・ジャハーンによりデリー城と同時期に同じく赤砂岩と大理石で造られた巨大な建築です。ムガール帝国はイスラム教でシャー・ジャハーンの治世が最盛期だったのです。しかし彼は王位継承した息子に幽閉され淋《さび》しく死んでいきました。実子とはいえ、財産も権力も、自分が生存中は渡してはならない、との教訓でしょうか。

このあたりでは魚や、生きた鶏、山羊《やぎ》なども売られているし、そのかたわらに頭から水をかぶって行水している男たちもいれば、がらくた屋、修理屋などもあり、一種特有の臭《にお》いが充満していました。我ながら驚いてしまうのですが、かつて私は取材スタッフと三人でこの辺りの店を訪れ、鶏を一二羽食べたことがありました。夜だったので、生きているのを処理しているところは見なかったにしろ、ガリガリにやせて小さな鶏ね、とか言いながらあっという間に骨の山を築いていたのです。それにしても若さの食欲！今となっては感無量です。

デリー城を要《かなめ》にして扇を開いたように広がるこの辺りがデリー、またはオールド・デリーで、その少し南にイギリスが建設した計画都市をニュー・デリーといいます。ニュー・デリーは、長い年月をかけて建設した整然とした街並みで、広い道路、重厚で威厳ある巨大な公共建築物がゆうゆうとスペースを保って並んでいます。

城のような巨大な大統領官邸はもと英国総督官邸で、最後の総督はエリザベス女王の夫君の叔父のマウントバッテン卿《きょう》でした。気さくなすばらしい方で、生前、ガンジー氏が官邸に訪ねて来た時の話をしてくれたことがありました。ガンジー氏が来訪するとなると、木綿の布一枚をまとってくるガンジー氏のためにクーラーを止め(その時代にあったのかしら?)、卿は正装してお会いしたので汗だくだくであったと思い出して笑っていらっしゃいました。郷《ごう》に入りては郷にあう服装をせよ、とのガンジー氏の暗示を卿はうけとったのでしょうか。クーラーをとめて汗だくの卿のこんな気づかいをガンジー氏は知っていたのでしょうか。植民地時代をふりかえって怒ったり、謝罪せよなどという声が聞かれないのは、インド国民もこんな気づかいを感じていたからかもしれません。

この整然たるニュー・デリーでインドらしい光景といえば、並木のもとに大きな牛が悠然とねそべっていて、そのそばを小さなリスがこれまた少しも動ぜず歩いていることでしょうか。世界の計画新首都のなかでワシントンも見事ですが、スケールは小さいながら、ニュー・デリーが一番それらしい成果のようにみえます。この辺りは関係者以外の人はあまり歩きまわっていないので、完成から六〇年以上たった今も他の雑踏する地区と一線を画しているし、近くの高級住宅街や大使館街なども、相続税などで土地を切り売り、細分化などしたり、高層ビルが建つこともないから、広いスペースに緑の木々の庭園などがあり、街の品位を保っています。ゴルフ場も乗馬クラブも競馬場も近くにあるので、さらに緑と空間が広がり、オールド・デリーのあの雑踏がすぐ近くにあるとは考えられないほどです。

デリーにくる観光客は、ガイドにつれていかれると、人が大勢訪れる定番コースだけであっけなく終わってしまいます。あのデリー城、ムガール帝国二代目皇帝のフマユン廟、一二世紀あたりに建てられた高さ七三メートルのクトゥブの塔などです。しかし、古い都なので一七～一八世紀建設の大モスクなどが無人のまま放置されているのもあります。壊れ始めたり、こうもりがとびかっていたりするのですが、誰もいない巨大な空家にひとりたたずむと、インドが、当時の人たちが、語りかけてくるような気がして胸にじーんとしたものを感じてくるのです。それにしても、こういう建物を保護していないのは全くもったいなく残念です。

インド博物館は勿論《もちろん》見るべき所ですが手軽にインドの各風俗を見たければシャンカー国際人形博物館はどうでしょう。インド各地の踊り、祭り、女の仕事などがそれぞれの地方の衣装を着た人形で展示してあり、特に飾りつけた各地方の花嫁は、本物を見るチャンスのない人にはゆっくり見たいものでしょう。

女の美といえば最近、日本女性の間で話題になっているアーユルヴェーダなるものを試してみました。幸い、ドライヴァーがドイツ女性を乗せて行ったことがあるというので連れていってもらったのです。街のはずれにあり、隣近所とは群をぬいた新築建物で、

フマユン廟

庭にはコンクリートと石でかためられたまだ新しい池もありました。

　女主人と話をしていると、医師という男があわてて白衣のボタンをかけながら部屋に入ってきて、私の脈をとって貴女《あなた》は強健であると診断を下し、私が何をいかにするのかきくと、インドのケララ州に六〇〇〇年前から伝わる療法で、各種の植物、油を数十種もまぜ、それを身体《からだ》にぬり心身をリラックスさせるのだというのです。体重の減量、失われた若さを取り戻す油、元気になる油もあり、それぞれ調合が異なるため医者の診断が必要なのだそうです。

　小さな部屋に入ると中央に木の寝台がありました。これは特殊な木でこれ自体に医療的効果があり、すでに各種の油がしみこんでいるので、これが効能を倍増するのだそうです。私の治療用に選んだ油のびん、四本から油をタラタラと鍋《なべ》に入れ混ぜ合わせ、少し温めると、裸になって横たわっている私の顔の上につり下げられている器にそれを入れ、髪の生えぎわあたりにたらし始めました。かなりゴマの香りがします。ひとりの女がたれた油を髪にもみこみ、もうひとりの女が流れ落ちた油をすくって再び器に入れる。油はすぐ冷たくなってヒヤッとしてきました。三人目の女が全身に冷たい手で油をぬる。マッサージではありません。ぬってのばしているといったものでした。デリーは今は冬なのです。しかもこの部屋は寒く、小さな電気ストーヴをつけてはいたもののあまり効かず、身体はかたくなってきてリラックスどころではありません。その上、三人のうち二人の女がゴホンゴホンと咳《せき》ばかりしているのです。気が気ではありません。四〇分ほどで終了。この後はホット・シャワーと書いてありましたが、バスルームとはいえない小さな非衛生的なたたきの部屋でプラスティックのバケツにたまったぬるま湯をプラスティックの手桶《ておけ》で身体にかけながら油を落としたのです。この料金が何と一二〇〇ルピー。日本円ならばこの三倍の数字ですから高く感じないでしょうが、デリー大卒の三〇代の男性の月給が六〇〇〇ルピーだからインド価格としてはかなり高額です。それでも客の七〇パーセントはインド人で、毎日四〇人以上も来ると言っていました。

訪問地では必ずマーケットを見に行きます。ガイドの行きつけの所はかなり大きく、野外にずらりと並んだ屋台と店で、物も豊富で布地、服、スーツケース、靴、時計、野菜、フルーツ、スパイス、各種漬け物等々何でもござれです。売り手も熱心に働いていて活気がみなぎっています。かごを頭上にのせ買い物を運んでくれるポーターの少女達

プタパルティの公衆電話の看板

（一二、三歳でしょうか）の目は鋭く、客とポーター料をはげしく言い争っていました。

日本人女性にも出会いました。ここが安いからかなり遠くから買いに来るといい、三輪タクシーのボロボロのミゼットで帰って行きましたが、それでも割があうのでしょう。ミゼットや人の間を牛がゆうゆうと歩いていたり何の緊張もなくねそべっていてインドならではの光景です。木の下では染め物屋が染料の入ったバケツを幾つも並べて忙しく働いていましたが、木の枝には染め上がった布が沢山ぶら下がっていました。以前、私も服をつくって、それにあう色のスカーフを染めてもらったことがありましたが、こういう人達が自由自在に美しい色をつくり出すのに感心してしまいました。

一一月は気候的にも結婚のシーズンであちこちで白馬にのった白い服の王子様風のお婿《むこ》さんの行列に出会いました。花嫁の待つ会場でずらりと並べられた料理も食べてきました。祝い事なので皆がにこにこしていて知りあいでない客人もウェルカムなのです。

結婚式を一層華やかにするのは招待客の特にご婦人のサリーと宝石です。こういう人達に囲まれていると現実離れした世界にいる気になってきます。

最近の傾向はインド風近代化です。面白いのは貸し電話で、あちこちにＳＴＤ（州の電話）、ＩＳＴＤ（Ｉがつけば国際電話）の看板が出ていて、美女の電話すがたなども描かれているのです。貸し電話は間口一間くらいの靴屋でも薬屋でも又は空港ターミナルにもあって、便利のみならず私達には安いのです。国際電話はホテルでかける何分の一かの料金で、しかもファックスも送れます。日本への原稿もクリーニング店の軒先の電話から送りましたが、心配だったので一応東京に電話したらちゃんと受けとっていたので安心したりして……。やっぱり多少疑っていたことには反省してしまいました。

電化も急速に広がり道を歩いていてふと見上げると、真っ黒に汚れたたくさんの電線が糸くずを丸めたようにこんがらがってたれ下がっているのです。テレビが普及し始め、暴力シーンなどはティーン・エイジャーに大きな刺激を与えていると親が嘆いていました。かつて日本にテレビが出始めた頃、大宅《おおや》壮一さんが一億総白痴化すると警告しましたが、今は、それどころの段階ではありません。インドの都会はジョイント・ファミリー（大家族制）も崩壊し始め、家長の鶴《つる》の一声もパワーがなくなり、核家族に散らばりつつあるそうです。経済の急激な発展も伝統を変えつつあります。

私の泊まったホテルは一部屋一万二八〇〇ルピーという高値でしたが、パーティーは毎夜のごとくあり、女性は全員サリーかパンジャブ・ドレスに首や腕、指にびっしりと宝石をつけてきていました。インド女性の民族衣装はきれいなだけでなく、女っぷりがあがってみえるのです。しかし、レストランにはサリーならぬスラックス姿の若い女性がボーイフレンドと颯爽《さっそう》と入ってくるし、夜中だというのに子供づれの家族が高価な食事をしていました。ガイドいわく、家庭の躾《しつけ》も社会のルールも知らない新興金持ちが生まれてきてマナーが悪くなってきたとか。

何千年にもわたり宗教に身も心もゆだねて伝統の中に生活していたインド人たちが少しずつ変わっていくようです。私も「インドよ、お前もか」とつぶやいてしまうのです。

あとがき

本書は都会のシリーズです。前書『私の愛する憩《いこ》いの地』（平成四年、新潮社刊）は「すでに海外旅行ずみの中高年の方々に更なる旅行地」がテーマでしたが、都会ですと旅の初心者でも気安く行けます。初心者といってもこの頃はヴァーチャル・リアリティとかいって何となく既に経験しているような気分で、新鮮さや感激性がうすれた人が多いときいています。もしそういう症状になっていたら断然、旅に出て訪問地を歩きまわることをおすすめします。実際に歩きまわって、立ち止まって、よく見て、さわって、味わって、人と語りあって、つかみどころのないヴァーチャル・リアリティという迷いの世界から自分の五感が躍動する世界にとびこんでみてください。自分のもっている細胞がフルに目ざめてきます。目も肌も輝きをましてきます。感動する心や好奇心がエネルギーを活発にさせ、自分を生まれ変わらせたりします。旅は貴方《あなた》のルネサンスです。

本書はヨーロッパの都が多くなってしまいました。あのせまい（?）土地に三〇数カ国も存在し、それぞれに歴史と個性のある都市が点在しているのですから、ヨーロッパに行けば数カ所に足をのばせていける便利さがあります。旅行者は夏に集中しますが春夏秋冬それぞれの良さがあり、私は北欧なら冬が本場（?）とさえ思っています。同じイタリアの中でもヴェネツィアとナポリでは人の気質も料理も違います。ロンドンとパリは目と鼻の先の距離ですが、左側通行と右側通行と異なり、ファッションも男物ならロンドン、女物はパリといった具合に特徴があります。各都市が近いだけに独自のユニーク性を保つ努力をしているのです。

アメリカは西のサンフランシスコ、東のニューヨーク、南のニューオーリンズをえらびました。アメリカは新しい国なので歴史や文化の保存に一所懸命ですが、都会に関しては違います。私が初めて訪れた四〇数年前、当時の日本人から見れば立派なビルなのに外から打ちくだいて壊し、新しく建てかえていました。あの当時の新しいビルも既になく、更にモダンなデザインのビルが建ち並び、まるで別の都のように変えてしまうのです。

アメリカはアップ・トゥ・デイトの建築美、計画都市を見る楽しさがあります。でもアメリカは別として今日の世界はどこへ行っても急激に近代化され似たような姿になっていくのには、私のように古い時代から見ている者にとって、ある意味では想《おも》い出を失う悲しさもあります。でも初めて訪れた人なら、その時代からその都の想い出が始まるのですから、四〇年たった時に、

「私が行った時の街並みはね」

と語り、きいている人達が、

「まぁ、そんなに旧式だったの?」

なんて言われても内心、貴方の知らない街を私は知っている、とひそかな喜びを感じるでしょう。

初めて見た光景やそこできいた音楽等々は自分にとって初恋のようにいつまでも美しく残っているのです。それは自分だけの宝です。ふと流れてきた古い曲に、私は初めて行ったころのローマに、パリに引き戻されることがあります。あの時にあそこできいた曲、そこで飲んだ強いコーヒー、満月の夜、等々が鮮明によみがえってくるのです。誰が一緒にいようと、この曲がもたらす想い出は私にだけしかないのです。天使のプレゼントです。想い出の多い人生は豊かな気持ちを育《はぐく》んでくれます。

私は世界をまわり、最も有り難かった収穫は地球の素晴らしさを見て知ったことです。心の底まで納得したのです。この美しい惑星、万物を生んで育てた地球に対して私たち現代人はあまりにも無知ではないでしょうか。親のすねをかじる、といいますが地球はすねどころではありません。一時は地球の資源は無限、などと肝をつぶすようなことを公言しましたが、人間のみの生活向上のため、地球への暴挙は今もつづいています。地球を潤《うるお》しているのは水です。川は地球の動脈のような存在です。現代人は自分の血管については神経質ですが地球の水は汚れても平気です。都会はかつて小さな集落で、水のほとりに生まれたものです。生物を生み、街を育て、文化の花を咲かせたのも清らかな水があったからです。世界の都会を訪れた時、そこの川や海に心の中でお礼を言ってください。そしてこれ以上、汚さないように心がけますと誓ってください。

都会は人の生活を満たす殆《ほとん》ど全《すべ》てのものがととのっています。折角、人生のかぎられた時間を費やすのですから日本に無いものを見たり、味わったり、経験してくることです。そして安心できる素晴らしいホテルに泊まってくることです。自分は世界の一流経済国人で教育を受けた人間であることをお忘れなく。

私からの強いお願いは諸国の教会、モスク、寺、神社等々を訪れたら、現地の人より謙虚な態度で接してください。現地の人にも好感を与えるかもしれませんが、自分自身も気持ちがすがすがしくなるものです。

ボン・ヴォヤージュ。

兼高かおる

一九九六年一〇月

この作品は平成八年十一月新潮社より刊行された。

兼高かおる著　私の愛する憩いの地

〝世界の旅〟でお茶の間を魅了した著者が披露するとっておきの地の数々。人、自然、歴史――美しい星地球への愛情あふれる旅案内。

澁澤幸子著　イスタンブール、時はゆるやかに

一九八一年以来毎年、バックパックを背にイスタンブールを一人旅。溢れる体験と想いを、切れよく巧みに織りあげた旅エッセイ。

澁澤幸子著　イスタンブールから船に乗って

イスタンブールに魅せられ通い続けて十五年。今年は船で黒海に出てみよう！　永々脈々今に至るトルコの人々の物語が私を待っている。

須賀敦子著　トリエステの坂道

夜の空港、雨あがりの教会、ギリシア映画の男たち……、追憶の一かけらが、ミラノで共に生きた家族の賑やかな記憶を燃え立たせる。

岩合日出子著　アフリカ　ポレポレ

動物写真家の夫に同行し、四歳の娘と一緒にアフリカで一年半を過した著者は、自然と戦い、教えられ、感動し、そして本書を著した。

塩野七生著　イタリア遺聞

生身の人間が作り出した地中海世界の歴史。そこにまつわるエピソードを、著者一流のエスプリを交えて読み解いた好エッセイ。

沢木耕太郎著
深夜特急 1
―香港・マカオ―
デリーからロンドンまで、乗合いバスで行こう――。26歳の〈私〉の、ユーラシア放浪が今始まった。いざ、遠路二万キロの彼方へ！

蔵前仁一著
旅で眠りたい
安宿で眠った一年はたまらなく幸福だった。アジア大陸を東から西へと横断した元祖バックパッカー紀行――これぞ旅の醍醐味だ！

村上春樹著
雨天炎天
―ギリシャ・トルコ辺境紀行―
ギリシャ正教の聖地アトスをひたすら歩くギリシャ編。一転、四駆を駆ってトルコ一周の旅へ――。タフでワイルドな冒険旅行！

野田知佑著
ゆらゆらとユーコン
著者が初めて語る切ない日々――ナバホ居留地でのことを始め、亀山湖での暮らし、大河ユーコンの川旅などを描いたエッセイ集。

野田知佑著
北の川から
ツンドラの荒野を悠々と流れる極北の川。世界中のカヌーイストが憧れるノアタック川を始め、北の川旅を中心に綴ったエッセイ集。

野田知佑著
南の川まで
インドネシアの激流を強行突破～フィジーでラフティング～錦江湾でタイ釣り。行政による河川破壊に憤りながら、豊かな自然を語る。

玉村豊男著

パリ 旅の雑学ノート

パリへ行く人には役に立ち、行かない人にも面白い、ユニークなパリ旅ガイド。類書が見逃した極秘のパリ情報がいっぱい。写真多数。

玉村豊男著

パリ 旅の雑学ノート 2冊目

レストランで本場のフランス料理にありつく法、ホテルの泊り方、ショッピングのテクニックなど、パリを楽しむための本。写真多数。

玉村豊男著

ロンドン 旅の雑学ノート

紳士の定義、本場のビールとローストビーフの楽しみ方、タクシーの乗り方…etc. 玉村式ロンドンの楽しみ方を紹介。写真・図版多数。

永井荷風著

ふらんす物語

二十世紀初頭のフランスに渡った、若き荷風の西洋体験を綴った小品集。独特な視野から西洋文化の伝統と風土の調和を看破している。

夏目漱石著

倫敦塔《ロンドンとう》・幻影《まぼろし》の盾《たて》

謎に満ちた塔の歴史に取材し、妖しい幻想を繰りひろげる「倫敦塔」、英国留学中の紀行文「カーライル博物館」など、初期の7編を収録。

森鷗外著

阿部一族・舞姫

許されぬ殉死に端を発する阿部一族の悲劇を通して、権威への反抗と自己救済をテーマとした歴史小説の傑作「阿部一族」など10編。

石川純一著
宗教世界地図
イスラム原理主義の台頭、チェチェン介入、オウム真理教など、時代を宗教で読み解く。理解できなかった国際情勢の謎が一気に氷解！

浅井信雄著
民族世界地図
中華ナショナリズム、パレスチナ問題、欧州の反ユダヤ主義、WASPなど、地図を駆使して、複雑な民族対立を読み解く必読の書。

松井　茂著
世界紛争地図
朝鮮半島の核疑惑・米中対立・イラク情勢など、世界中で燻り続ける地域紛争に注目し、その裏にひそむ各国の思惑を徹底分析。

呉　茂一著
ギリシア神話（上・下）
時代を通じ文学や美術に多大な影響を与え続けたギリシア神話の世界を、読みやすく書きながら、日本で初めて体系的にまとめた名著。

シュリーマン
関　楠生訳
古代への情熱
―シュリーマン自伝―
トロイア戦争は実際あったに違いない――少年時代の夢と信念を貫き、ホメーロスの事跡を次々に発掘するシュリーマンの波瀾の生涯。

ラム
松本恵子訳
シェイクスピア物語
原作の雰囲気の忠実な再現を考慮しながら、シェイクスピアの名作から13編を選んで、若い人々のためにわかりやすく書かれた物語。

新潮文庫最新刊

辻 仁成著
海峡の光
芥川賞受賞
函館の刑務所で看守を務める私の前に現れた受刑者一名。少年の日、私を残酷に苦しめた、あいつだ……。海峡に揺らめく、人生の暗流。

遠藤周作著
夫婦の一日
たびかさなる不幸で不安に陥った妻の心を癒すために、夫はどう行動したか。生身の人間だけが持ちうる愛の感情をあざやかに描く。

北方謙三著
降魔の剣
黙々と土を採む焼物師。その正体は、ひとたび刀をとれば鬼神と化す剣法者・日向景一郎――。妖刀・来国行が閃く、シリーズ第二弾。

宮脇俊三著
ヨーロッパ鉄道紀行
ユーロスターやICEといった超特急、そしてローカル線。欧州大陸を縦横無尽に移動し、汽車旅の楽しさを愉快に語る紀行エッセイ。

兼高かおる著
私の好きな世界の街
この地球に、人々が咲かせた色とりどりの花、街。パリ、ロンドンからマラケシュまで、この40年世界を隈なく旅した著者の愛する20都市。

泉 麻人著
東京自転車日記
当代最強の東京マニア、MTBに跨る！ 車輪の向くままふらっと巡り、急速に姿を変えていく町の一瞬を映した「平成東京風土記」。

私《わたし》の好《す》きな世界《せかい》の街《まち》

新潮文庫　か - 30 - 2

平成十二年三月一日発行

著者　兼《かね》高《たか》かおる

発行者　佐藤隆信

発行所　株式会社　新潮社

郵便番号　一六二—八七一一
東京都新宿区矢来町七一
電話　編集部(〇三)三二六六—五四四〇
　　　読者係(〇三)三二六六—五一一一
振替　〇〇一四〇—五—八〇八

価格はカバーに表示してあります。

乱丁・落丁本は、ご面倒ですが小社読者係宛ご送付ください。送料小社負担にてお取替えいたします。

印刷・二光印刷株式会社　製本・株式会社植木製本所

ISBN4-10-136512-1 C0126